D0774711

SENS UNIQUES

Arion bénéficie du soutien de la Société de développement des entreprises culturelles du Québec (SODEC) pour son programme d'édition. Nous reconnaissons l'aide financière du gouvernement du Canada par l'entremise du *Programme d'aide au développement de l'industrie de l'édition (PADIÉ)* pour nos activités d'édition. Nous remercions le Conseil des Arts du Canada de l'aide accordée à notre programme de publication. Gouvernement du Québec *Programme de crédit d'impôt pour l'édition de livres Gestion SODEC.*

Catalogage avant publication de Bibliothèque et Archives Canada
Langevin, Gautier, 1984-
Sens uniques
(Arion. Anticipation; 1)
ISBN 2-9233002-9-7
I. Titre.

PS8573.A553X46 2006 C843'.6 C2006-941733-4
PS9573.A553S46 2006

Conception, composition et réalisation de la couverture :
Fred Jourdain
Mise en pages : Maryse Lavoie, *Méli Mélo conception graphique*
Révision linguistique : Millie Pouliot et Linda Breau

La collection Arion Anticipation est la propriété exclusive des Éditions Arion.
Elle est produite sous la direction des initiateurs du projet, messieurs Maxime R. Desruisseaux et Steven Goulet.
Direction littéraire : Linda Breau

Éditeur :
Les Éditions Arion
C.P. 4366
Lac-Beauport (Québec)
G0A 2C0
arion@ccapcable.co
www.arion-editeur.ca

Diffusion :
Prologue (Québec) CED (France)
Distribution : Prologue (Québec)
Distribution internationale :
Paris :
Distribution du Nouveau Monde

Dépôt légal : Bibliothèque nationale du Canada,
Bibliothèque nationale du Québec, 2006

Imprimé au Canada.
ISBN 2-9233002-9-7

Gautier Langevin

SENS UNIQUES

Nouvelles

Collection
Arion Anticipation
001

Les Éditions Arion

Gautier Langevin est né à Montréal, au Québec. Il étudie présentement en littératures de langue française à l'Université de Montréal. Amateur de science-fiction et de bandes dessinées, il est chroniqueur pour le site Lecteurs.ca et cofondateur de frontfroid.com, un site de promotion de la bande dessinée québécoise.

Son œuvre se démarque par sa narration déroutante, et ses récits d'anticipation sont inspirés par les enjeux socioculturels auxquels jeunes et moins jeunes peuvent et pourront se heurter, tant dans le futur que dans la mouvance perpétuelle qu'est le présent.

TABLE DES MATIÈRES

À demain

Où sont les abîmes? Où sont les escarpements?
Pourquoi nous contentons-nous des aspects plats de
cette terre et de cette vie? Il doit y avoir quelque
part des trous effrayants, déchirures de l'infini,
avec d'énormes étoiles au fond,
et des lueurs inouïes.

Victor Hugo

PRÉFACE

Depuis sa création, la littérature d'anticipation a souvent connu des avancées majeures grâce à l'imagination débordante de certains de ses auteurs. C'est ainsi qu'Isaac Asimov a fait découvrir une toute nouvelle vision des robots, alors qu'Arthur C. Clarke a complètement changé le concept de l'exploration spatiale en permettant à ses personnages de puiser dans une certaine profondeur de la pensée, prémisse aux réflexions existentielles.

Mais il n'y a pas eu que ces deux géants. Nombre d'écrivains ont marqué l'anticipation à leur manière. L'un d'eux, Philip K. Dick, l'a fait d'une façon que Gautier Langevin est en voie de répéter : en alliant un style d'écriture innovateur à des histoires complètement inusitées, mais pourtant si humaines.

Auteur de livres qui furent adaptés pour le cinéma et donnèrent entre autres les films Blade Runner, Total Recall, Minority Report et A Scanner

Darkly, Philip K. Dick tentait de discerner la réalité de l'imaginaire, deux constituants du quotidien de l'être humain. De son côté, avec Sens Uniques, Gautier Langevin jumelle ces deux concepts afin de nous exposer ce que pourrait être la vie de tous les jours des Montréalais de demain.

En jugeant la société et ceux qui la dirigent sans toutefois aller trop loin dans sa critique, Langevin nous invite à réfléchir à nos choix et à notre mode de vie, afin que nous puissions reconsidérer certaines décisions que nous prenons chaque jour. Pour illustrer de façon fort convaincante son questionnement, il fait usage de thèmes concrets tels la musique, les bars, l'argent, l'informatique et le travail, des éléments faisant pratiquement partie de la vie de tout un chacun.

S'il est encore trop tôt pour juger de l'empreinte qu'il laissera dans le monde de l'anticipation aux côtés d'Isaac Asimov, d'Arthur C. Clarke ou, plus particulièrement, de Philip K. Dick, il est indéniable que Gautier Langevin marquera ses lecteurs par son écriture profonde, son jugement réfléchi et les thèmes universels qu'il aborde dans ses nouvelles.

SUR LE POINT DE...

Cette nuit-là, pour la première fois de sa vie, la Noire avait ressenti que, pour elle et ses semblables, tout était sur le point de changer. En pleine action derrière ses instruments cérémoniels, le cerveau directement branché sur son mixer dans le but d'enchevêtrer une répétition nuancée de boucles élévatrices, elle était sur le point de voir celle qui faisait l'objet de tant de légendes chez les disques-jockeys de son calibre. On racontait que ceux qui avaient vécu l'expérience s'étaient tout simplement retirés du circuit, prétextant avoir « raté leur sortie » mais, cette nuit-là, la D.J. modifierait le cours de l'histoire...

Tout s'était passé très vite, l'instant d'une coupure de courant d'à peine quinze secondes. La quantité de stupéfiants que la D.J. avait ingurgitée y était peut-être pour quelque chose, mais lorsque la coupure survint – au même moment où sa performance avait atteint son apogée – les silhouettes remplissant la piste de danse et la musique qui bourdonnait en permanence dans ses oreilles s'étaient soudainement estompées pour laisser place à un environnement qui lui était totalement inconnu. L'immense hangar où la Noire se produisait avait pris la forme d'une petite pièce ovale aux murs tapissés d'écrans de différentes formes. « Elle » se tenait au centre de cette pièce.

Celle que les artisans de la platine avaient considérée comme « la matérialisation du paroxysme de leur carrière » fixait maintenant la Noire, en toute innocence, du haut d'un âge qui devait approcher les douze ans. Son crâne complètement chauve servait de support à un visage à la bouche anormalement petite et aux yeux recouverts d'une pellicule laiteuse. À première vue, ces yeux avaient quelque chose d'effrayant. Quelque chose d'effrayant, mais de bien réel.

La Noire se borna toutefois à essayer de comprendre ce regard mystérieux, insaisissable. La scène à laquelle elle assistait semblait appartenir à la réalité d'un autre monde, d'un univers autosuffisant. Cette fille, presque femme, prisonnière d'un endroit complètement clos et semblant n'avoir aucun objectif concret à part celui d'être vue, dégageait pourtant une aura de grandeur, de noblesse qui suscitait l'admiration. La Noire était cependant incapable de découvrir ce qui créait cette impression. Constatant son impuissance, la même qui avait préalablement dû assaillir ses collègues, elle se sentit glisser vers l'arrière, comme si on tentait de la ramener vers ses tables tournantes.

Mais la Noire n'avait pas l'intention de « rater sa sortie » comme les autres et, malgré la pénombre qui l'entourait de plus en plus, elle se concentra sur ce regard autour duquel tout semblait graviter. Elle lutta pour demeurer prisonnière de cette vision, comme elle l'aurait fait dans le cas d'un rêve agréable sur le point de se terminer.

La transformation était à peine visible, mais la Noire remarqua tout de même que l'attitude de la jeune fille se modifiait. La panique semblait l'envahir au fur et à mesure que la Noire avait l'impression de quitter l'endroit, comme si son existence dépendait directement du regard qu'on posait sur elle. À l'instant même où la Noire en prit conscience, la scène redevint plus nette et elle fut prise d'une indubitable intuition : cette jeune fille ne la regardait pas; elle s'admirait à travers elle. Les écrans – ces fenêtres sur le monde extérieur qui l'entourait – étaient en fait des miroirs. La D.J. ignorait les conséquences de ce qu'elle s'apprêtait à faire, mais elle était convaincue de la nécessité de la chose. Elle l'avait comprise, elle était sur le point de la fixer et la reproduirait éventuellement :

– On t'appellera Pathi : celle qui éprouve.

L'ADDITION

Mes parents m'avaient toujours dit qu'il fallait s'ouvrir autant de portes que possible dans la vie, qu'il ne fallait jamais mettre tous ses œufs dans le même panier. Comme à la bourse : répartir les risques en dispersant ses actifs dans divers domaines. Je ne les remercierai jamais assez. Bien sûr, je me suis déjà demandé si j'avais fait les bons choix, mais c'était lorsque j'étais encore tout petit. Il avait fallu décider vite et bien, diversifier tout en optimisant, progresser, graduer pour compléter à l'intérieur des barèmes d'évaluation institutionnalisés. J'avais bien réussi, tout en souffrant assez pour prouver aux autres que j'avais dû travailler fort pour en arriver là. J'avais surmonté brillamment les épreuves à mesure qu'elles s'étaient présentées à moi. Je restais positif, dynamique, stimulé et stimulant. J'avais maintenant droit à ma récompense. Ma récompense à moi que j'avais méritée.

La soirée naissante me faisait légèrement oublier cette humidité amazonienne qui devenait, depuis quelques années, un peu trop récurrente de notre mode de vie. Décidément, la nuit arrivait toujours trop tard sur Montréal. Dans mon cas, elle s'était littéralement fait attendre toute la journée. La nuit où j'entrerais finalement dans le cercle des illustres s'ouvrait devant moi et, pour célébrer ce magistral lever de rideau, j'avais décidé d'aller faire une longue marche à travers les rues du centre-ville, question de m'y promener une dernière fois en tant que simple passant.

C'était une belle soirée. Bien sûr, il y aurait des averses, mais c'était une belle soirée. Les derniers rayons de soleil perçaient les nuages gorgés d'humidité, frôlant les gratte-ciels pour venir lécher une dernière fois l'angle des rues Sainte-Catherine et University. Le simple fait de prendre conscience de ma participation à ce tableau me procurait une satisfaction inimaginable. Avec les années, j'avais appris à me fondre complètement au paysage, à épouser parfaitement les contours de cette cité du commerce, lui rendant hommage en remplissant avec fierté l'espace qui m'avait été attribué. J'y prenais place tout en douceur, comblant les vides, figeant le moment, en véritable symbiose avec cette agglomération. Je considérais cette relation comme un genre de mutualisme, de contrat d'entraide que j'avais signé avec celle qui me donnait tout, à condition que je lui reste fidèle, évidemment.

Autour de moi, la ville prenait tranquillement une allure nocturne. C'était l'heure des zélés :

départ de ceux qui terminaient après cinq heures et arrivée des précoces du cocktail. Différents dans l'action mais frères de désir, ils voulaient montrer au monde à quel point tout ça leur importait et donnait un sens à leur existence. Je ne les blâmais point. J'avais évidemment été l'un d'eux à l'époque où je n'avais pas encore accumulé assez d'argent pour passer à l'étape suivante. Prostré patient au sourire en coin et à l'esprit machiavélique, maître de l'ombre chinoise, j'avais épargné savamment, sans ménagement plutôt, mû par un désir d'accession que je m'apprêtais finalement à assouvir cette nuit : 88 000 000. Un beau nombre. Un nombre tout en rondeur, joufflu, bedonnant, boursouflé d'abondance. Symbole de ma victoire personnelle, ce nombre représentait aussi et surtout le prix qu'il fallait payer pour devenir membre du Club... Mais il ne fallait pas y penser tout de suite. Je voulais savourer encore un peu mes derniers instants d'homme ordinaire.

Les couleurs environnantes devinrent soudainement plus sombres, les fenêtres d'immeubles furent remplacées par des grillages laissant passer l'air frais. La nuit tombait, marquant la disparition des zélés, pour laisser place à la seconde période d'affaires. Une troisième heure de pointe prenait forme tranquillement, au même rythme où les lumières de la ville s'allumaient. Cette marée montante qui recouvrait le centre de l'activité économique de la province en plein milieu de soirée me rendait toujours fébrile, et pour cause. C'était un signe sans équivoque que le nouveau projet de loi sur le travail portait fruit. Véritable riposte au « dynamisme économique oriental », la loi accordait une pléthore d'avantages fiscaux aux entreprises ne fermant jamais. Des rumeurs, qui me semblaient très plausibles, circulaient d'ailleurs à propos de certains zélés du boulot qui ne rentraient tout simplement plus chez eux. De toute façon, les dispositifs pour vivre confortablement au travail avaient déjà été mis en place pour les employés de grandes sociétés avant même l'entrée en vigueur de ladite loi. J'étais passé par là, moi aussi, mais c'était du passé. J'avais maintenant mes quatre-vingt-huit millions et j'étais enfin libre.

Je marchais depuis environ une heure lorsqu'un agent de sécurité me fit sortir de ma rêverie :

– Tout va bien, monsieur?

Je m'étais arrêté à son approche, un air de défi dans les yeux pour lui rappeler à qui il avait affaire. Je haussai toutefois les sourcils, comme pour l'inviter à expliquer son comportement inhabituel. Pour moi, il était tout à fait inconcevable qu'un policier s'adresse à quelqu'un de la classe supérieure sans avoir de très bonnes raisons. Accoster un immigrant ou un jeune; pas de problème. Mais quelqu'un comme moi? Complet-cravate, sérieux, dos droit, pas assuré, mes trois diplômes universitaires accrochés dans le regard? Il devait avoir une bonne raison. Respectueux et cordial, le pauvre semblait légèrement nerveux :

– Est-ce que... Est-ce que vous êtes perdu, monsieur?

Je regardai autour de moi, interloqué par la question de mon vis-à-vis. Observant attentivement mon entourage ainsi que la rue sur laquelle je marchais, je pris rapidement conscience que je n'avais pas porté attention au chemin que j'empruntais depuis un bon bout de temps. J'étais en plein quartier latin, entouré d'étudiants, de mendiants, de touristes et, à en croire le policier, je ne pouvais qu'être perdu. Sa déduction m'insulta. Moi, me perdre? Je m'étais retrouvé en terrain hostile, porté par le courant, voilà tout. Pas besoin d'un agent de police de bas étage pour me ramener à bon port. Je détournai donc le regard, lâchant un inaudible « Non merci » dans l'unique but de ne pas réveiller les instincts d'enquêteur de ce petit code criminel en armes.

À bien y penser, je ne pouvais pas me rappeler la dernière fois où j'avais mis les pieds dans ce quartier. Je repris mon chemin, énervé par l'omniprésence de ces lieux presque inconnus qui venaient de me sauter au visage. Les pubs étaient remplis de jeunes gens qui discutaient bruyamment, sûrement en train de refaire le monde pour une cent trentième fois. Je devais quitter cet endroit mais, en même temps, quelque chose en moi me donnait une envie irrépressible et inexplicable d'y rester. Comme une envie perverse de confronter l'immonde, de connaître le vulgaire comme on regarde dans son mouchoir après s'être mouché. Je passai devant un vieillard au parfum de gin, mal rasé, habillé comme un Sol[1] et qui m'insultait en jouant d'une guitare qui lui ressemblait vaguement. Au lieu de revenir sur mes pas, je continuai ma marche. La ville n'avait pourtant plus rien qui aurait normalement pu m'enchanter. Les édifices avaient moins de cinq étages, les automobilistes et les passants s'insultaient réciproquement tandis que les transactions de stupéfiants étaient à peine camouflées derrière des mains s'agitant rapidement et des dos tournés stratégiquement. Un regard à droite, une poignée de main à un interlocuteur qu'on ne regarde pas, « Thanks, chummy », poing contre poing, « On se reverra quand t'auras une autre entrée de fric ou un service à offrir ». Je trouvais tout ça à la fois fascinant et déroutant. Est-ce que le simple fait de me promener parmi eux me transformait en quelqu'un d'autre? Est-ce que je devenais moins respectable, même si je ne faisais absolument rien d'illégal ou de moralement inacceptable?

J'eus soudainement la vague impression que l'air avait changé autour de moi. Les fibres de mon veston Biodesign avaient dû réagir à la pression

1. Célèbre clown aux allures de vagabond interprété par le comédien québécois Marc Favreau.

atmosphérique fluctuante; une averse était sur le point de se déclarer. Ça tombait bien, en fait : j'avais faim. Mais, dans ce coin, je ne savais absolument pas où aller pour trouver quelque chose de respectable. J'activai donc mon portable implanté pour faire appel aux services de mon copilote :

– Dans combien de temps aura lieu l'averse?

– Cinq minutes trente-trois secondes.

– Meilleur restaurant à moins de cinq minutes de marche régulière?

– Continuez sur Sainte-Catherine, tournez à gauche sur Saint-Denis, marchez deux minutes. Bistro Bruxelles.

– Merci.

– De rien, monsieur. Compte tenu de votre localisation géographique actuelle, je me permets de vous spécifier qu'une patrouille de sécurité a été mise en alerte.

– Encore merci, Andy.

– Merci d'avoir choisi Gabriel Corp., monsieur.

Je suivis à la lettre les indications du copilote et me retrouvai au bistro à l'intérieur des limites temporelles que j'avais dressées. C'était un petit estaminet assez modeste, mais décoré avec goût, harmonisant tradition et modernité de façon remarquable. Le maître d'hôtel était rapidement venu à ma rencontre et m'avait installé dans un coin tranquille de l'établissement. Andy avait dû l'appeler... J'étais leur seul client et on me laissait tout de même en paix, me permettant de réfléchir en toute quiétude à la nouvelle vie que j'étais sur le point de commencer. Je commandai des moules et ça me fit rigoler, étant donné le prix. Je commençais à douter de l'efficacité de mon copilote lorsque la pluie se mit à tomber à l'extérieur. Andy ne se trompait jamais. Enfin, à l'intérieur des paramètres de son programme d'intelligence artificielle. J'avais pourtant un doute pour ce qui était des moules. Leur prix était trop abordable, l'endroit, trop bien. Il devait y avoir un retour de balancier quelque part. J'inspectai les lieux, calculai mentalement le loyer, les salaires et le coût moyen des produits vendus. Je ne pus en tirer qu'une seule conclusion : leur bouffe devait être merdique. Je gardai cette idée en tête jusqu'à l'arrivée de mon chaudron fumant; les moules étaient excellentes.

Soudainement, je n'étais plus du tout en paix. Cet endroit m'énervait. J'avais l'impression qu'on riait de moi. Il devait y avoir une erreur au menu. C'était la seule explication logique. On m'avait, de plus, apporté un vin de Californie et une coupe que je ne voulais pas du tout avoir en face de moi à ce moment-là. Je n'avais vraiment, mais vraiment pas besoin d'eux. On riait de moi. J'appelai le garçon :

– Jeune homme, il y a une erreur sur le menu : les prix sont trop bas.

– Non, monsieur.

– Mais c'est impossible, comment faites-vous?

– Nous sommes au bord du gouffre, mais nous arrivons à survivre.

– Pourquoi n'augmentez-vous pas vos prix? Votre restaurant a tout d'un grand restaurant, mis à part les prix...

– Mon patron est à cheval sur ses principes. Il voulait que tout le monde puisse savourer la cuisine de chez lui.

– Vous riez de moi. On rit de moi, je veux régler.

– Votre copilote l'a fait pour vous, monsieur.

C'était tout simplement illogique et ça me rendait mal à l'aise au plus haut point. Je sentais que quelque chose m'échappait, me glissait entre les doigts. Je devais quitter ce restaurant, ce quartier. Cette marche à travers les bas-fonds de la ville n'avait été qu'une fantaisie grotesque, un caprice de millionnaire emmerdé par sa routine. Je devais me ressaisir. Je sortis de l'établissement, essoufflé comme quelqu'un qui venait de manquer d'air. Les fibres de mon veston se modifièrent sur le coup, protégeant mon corps de la pluie torrentielle. Les deux nanomachines camouflées sous mon col se mirent au travail et tissèrent en un temps record le capuchon du vêtement, pour ensuite le déployer sur ma tête. J'avais peur de regarder autour de moi, comme si un simple coup d'œil pouvait me faire succomber une seconde fois à la tentation de continuer cette marche à travers l'inconnu. Avec l'aide d'Andy, j'appelai ma voiture, qui arriva sur-le-champ.

Elle s'approcha prudemment de moi, pour finalement me présenter sa portière arrière. Je plongeai à l'intérieur sans perdre un instant. Courbes austères, cuir véritable, métal poli, écrans plasma; enfin, je m'étais retrouvé : j'étais un peu plus chez moi. Inévitablement, je repensai à la somme que j'avais accumulée mais, contrairement à mon habitude, je me surpris à envisager différentes perspectives que ce montant d'argent rendait possibles. J'aurais pu décider de me lancer en affaires, de jouer au héros en volant des idées à l'entreprise pour laquelle j'avais travaillé. J'aurais pu engager des pros de la console, tireurs d'élite du piratage informatique pour percer les secrets de l'intelligence artificielle qui gérait les avoirs de notre consortium. Mettre du piquant dans ma vie, faire le cow-boy, lancer les dés en affrontant des obstacles plus gros que nature. Pourquoi pas? Parce que j'étais surveillé, fiché, implanté de la tête aux pieds. Parce que le simple fait de quitter mon univers immédiat pour une heure et demie m'avait plongé dans une crise d'angoisse. Voilà pourquoi je ne le ferais pas. Parce que, chez Gabriel Corp., les gens qui s'occupaient de ma sécurité pouvaient me faire griller la cervelle en appuyant sur un simple bouton. Ce n'était pas quelque chose qu'on criait sur les toits, mais la majorité des individus implantés par la compagnie qui avaient tenté de contrevenir à la loi ou, tout simplement, de s'en prendre à l'intégrité du système en place avaient malencontreusement péri d'un

ACV[2]. Pour les clients de la compagnie, l'équation à faire était simple et compréhensible : si vous vouliez profiter de la meilleure technologie en matière d'implants cérébraux et musculaires tout en ayant une protection immédiate à toute épreuve, il ne fallait pas essayer de les enculer... C'était le prix à payer pour être le plus performant. J'avais décidé de le payer et j'en étais très fier.

Pourquoi étais-je en train de penser à tout ça, alors? La voiture était toujours stationnée devant le Bistro Bruxelles, attendant mes ordres et pourtant, une seule option réaliste, sécuritaire et logiquement envisageable s'offrait à moi pour la suite des choses : le Club Lafontaine. Pourquoi m'avait-il fallu toute la soirée pour m'y rendre, alors que je savais pertinemment que c'était ce que je désirais depuis toujours, ce qu'il y avait de plus normal à faire pour moi?

Je regardai la façade du bistro à travers la vitre teintée et me dis que le propriétaire devait blanchir de l'argent pour le crime organisé : c'était la seule explication sensée. Affaire classée. Direction : Club Lafontaine.

La voiture fila à toute allure vers l'ouest de la ville, évitant les derniers soubresauts d'embouteillages de la rue Sainte-Catherine, se dirigeant avec flair vers le club. J'avais peut-être eu peur de

2. Accident cérébrovasculaire.

m'y rendre, d'enfin toucher à ce que j'avais tant attendu, mais tout ça était terminé. Quelques instants encore et j'allais pénétrer dans le club le plus prestigieux du monde, qui comptait autant d'étages que de membres y habitant. La plupart des aspirants membres devaient évidemment attendre qu'une place se libère, mais avec quatre-vingts millions et une réputation impeccable, on pouvait littéralement se faire construire un étage. J'avais donc opté pour le grand coup et ce soir, à minuit, on organisait une fête pour mon arrivée officielle. Les plus grandes célébrités allaient y être, m'avait-on dit, pour souligner mon entrée dans la grande famille du gratin. Qu'avais-je fait pour mériter un tel hommage? Rien de très spécial. Je n'étais pas un politicien, ni un artiste, ni le propriétaire d'un consortium très puissant. Honnêtement, j'avais plutôt accumulé beaucoup d'argent en faisant de bons placements. On affirmait d'ailleurs que c'était la première fois que quelqu'un de « normal » faisait son entrée au club. C'était peut-être pour ça que j'avais décidé de faire une entrée publique; je n'avais jamais eu besoin de me cacher pour faire quoi que ce soit. Habituellement, l'identité des nouveaux membres était gardée secrète, leur entrée prenant alors des allures de fuite. Personne ne savait vraiment qui y habitait, mais plusieurs rumeurs circulaient.

Après environ dix minutes de route, j'aperçus enfin l'immense édifice. Aussi haut que les plus imposants gratte-ciels de Montréal, celui-ci était toutefois entièrement fermé au public. Pas même les équipes de télévision ne pouvaient y accéder. Les médias avaient, bien sûr, montré de grandioses images de synthèse de l'intérieur, tout en s'assurant de faire ponctuellement des reportages sur chaque couturier et chaque cuisinier qui était engagé par le club. Collections exclusives de haute couture, spectacles présentés en avant-première V.I.P. dans son amphithéâtre privé, le Lafontaine était plus grand, plus respectable, plus cher, plus beau et plus complet que n'importe quel autre club privé. D'ailleurs, on y retrouvait tellement tout que ses membres n'en sortaient jamais. Le montant de cotisation couvrait l'hébergement à vie, la nourriture à volonté, l'habillement et, le plus important, les loisirs. Alors, pourquoi se priver? Je sentis la voiture ralentir et, au même moment, mon téléphone sonna :

– C'est Andy. Je passe le relais à notre service de sécurité affilié au Lafontaine. Félicitations et au revoir, monsieur.

J'eus un pincement au cœur. Andy venait de couper la communication sans que je puisse lui dire adieu. Je me sentais ridicule d'éprouver quelque chose pour une machine qui devait présentement être en train de se faire reprogrammer pour servir un autre utilisateur. Dehors, les projecteurs s'allumaient, les flashs crépitaient déjà avec frénésie. La voiture s'arrêta complètement devant ce qui devait être l'entrée du building. Les fenêtres du véhicule étaient trop sombres pour que je puisse distinguer autre chose que les lumières qui convergeaient vers moi. Mon téléphone sonna une seconde fois et, au moment où je l'activai, une voix étrangère, très douce, résonna dans ma tête :

– Bonsoir, monsieur. Nous vous attendions plus tôt. Je suis Uziel, votre nouveau copilote. J'aimerais vous spécifier qu'avant de pénétrer chez nous, vous devrez progresser à pied sur une distance d'environ dix mètres, dans une zone au potentiel d'agression relativement élevé. Dans le but de réduire les risques, trois gardes du corps vous accompagneront. Vous pouvez maintenant sortir de la voiture.

Les trois gardes du corps étaient bel et bien là. L'un d'eux venait de m'ouvrir la porte et appuyait une de ses grosses mains dans mon dos, comme pour me faire savoir poliment que c'était lui qui mènerait le bal durant les dix prochains mètres. Tout se passa très rapidement. Le défilé sur le tapis rouge prit l'allure d'une course aveuglante vers l'entrée de l'édifice et, lorsque l'homme attaché à la main qui me poussait dans le dos ouvrit la porte, j'eus à peine le temps de me retourner pour voir les deux autres gorilles, derrière moi, qui repoussaient la nuée de journalistes essayant de capter un cliché de l'intérieur du club. Tout s'expliquait! Ils n'étaient pas venus pour moi, mais bien pour gagner l'exclusivité d'une photo originale... En vain, car lorsque les portes se refermèrent, je me retrouvai dans un portique complètement noir. Un bruit de verrou se fit entendre derrière moi. J'étais seul, dans la pénombre, en compagnie de mes trois colosses. Je perçus toutefois un murmure, un bourdonnement autour de moi et, soudainement, le noir qui m'enveloppait se retira pour laisser place à une baie vitrée qui donnait sur l'intérieur de la tour. J'étais dans un ascenseur, littéralement suspendu dans les airs, bouche bée devant les entrailles de cette tour, qui se prolongeait dans le sol presque aussi profondément qu'elle était haute. Les étages prenaient la forme d'immenses balcons circulaires qui permettaient d'admirer d'un seul coup d'oeil le club dans sa totalité. À quelques endroits, des aires communes avaient été installées au beau milieu de l'édifice, sur d'immenses plaques de verre. Un peu plus bas, dans ce qui me sembla être un bar, une foule grouillante donnait l'impression qu'elle flottait.

Un des gardes du corps pressa une touche, ce qui nous fit descendre à leur rencontre. J'étais énervé et stressé d'enfin pouvoir côtoyer les plus grands de ce monde, qui vivaient maintenant en communauté dans ce paradis terrestre. J'avais entendu dire que les membres les plus influents du club se réunissaient périodiquement en conseil pour décider des grandes orientations qu'aurait à prendre l'humanité dans le futur...

J'arrivai rapidement à leur niveau mais, étrangement, personne ne semblait avoir pris conscience de mon arrivée. Les portes vitrées s'ouvrirent, me laissant pénétrer dans le bar à aires ouvertes. Les gardes du corps restèrent dans l'ascenseur, qui entreprit d'ailleurs aussitôt son ascension vers le sommet. J'étais là, face à la foule, attendant je ne sais quoi – sans doute que quelqu'un donne un signal, vienne à ma rencontre, m'annonce –, mais rien ne se produisit. Mon retard les avait sûrement choqués... Ou peut-être n'étais-je tout simplement pas assez important pour eux? Il ne fallait pas que je m'en formalise, mais ce manque total de respect des convenances me rendait légèrement nerveux. Un malaise s'était officiellement installé, mais je semblais malheureusement être le seul à le ressentir. J'apostrophai donc un serveur qui passait pour lui demander si la fête était commencée depuis longtemps. Il fallait quand même rester diplomate.

– Vous êtes le nouveau, hum?

– Oui.

– Et vous voulez savoir si la fête est commencée depuis longtemps...

L'homme étouffa un rire narquois.

– Qu'est-ce qui vous fait rire?

– Ce qui me fait rire, monsieur, c'est que cette « fête » n'a jamais eu de début et n'aura sûrement pas de fin.

Sur ces mots, l'homme continua nonchalamment sa course vers le bar. Je pris un moment pour l'observer vaquer à son travail, et mon regard se posa sur les gens installés au comptoir. Au lieu d'être assis sur de vulgaires tabourets, ils étaient confortablement calés dans d'étranges chaises, espèces d'hybrides entre le fauteuil et le lit. Le comptoir était extrêmement bas, réduisant au plus simple les mouvements à faire pour atteindre la consommation qui allait du simple dry martini à la pipe d'opium bien bourrée. Cet aménagement était reproduit à quatre autres endroits sur l'étage. Je parcourus du regard la foule, m'attardant sur certains petits groupes, et m'aperçus rapidement qu'ils étaient tous complètement camés ou saouls. J'assistais tout bonnement à une orgie perpétuelle de consommations perpétrée par l'élite de l'élite.

Ce... cette tour me dégoûtait. Je regardais frénétiquement autour de moi, cherchant quelque chose de réconfortant, mais je me sentais... expulsé, en dehors de tout ça, comme si mon expérience du début de la soirée était maintenant devenue ce que je regrettais. J'appelai mon copilote, bouleversé :

– Uziel, branche-toi sur mon visuel.

– C'est fait, monsieur.

– C'est toujours comme ça, ici?

– Oui, monsieur.

– C'est la principale activité, ici?

– Je pourrais même affirmer, sans compromettre mon intégrité statistique, que c'est presque l'unique activité, ici, monsieur.

– Pourquoi?

Trente secondes interminables s'écoulèrent avant qu'Uziel réponde :

– Je n'ai aucune réponse logique à vous donner. Mais selon nos archives, vous vous adapterez très bien à votre nouveau mode de vie. Nous prenons en charge tous vos avoirs, monsieur, ne vous en faites pas. Vous pouvez maintenant faire ce que vous voulez, quand vous voulez.

– Et qui s'occupe des décisions, des placements, des réunions?

– Nous, monsieur.

Saleté de moules. Ces maudites moules. Je regardai encore autour de moi, comme pour vérifier si la scène était bien réelle, et ça me frappa en plein visage. Les chirurgies plastiques et l'euphorie ambiante me l'avaient caché jusque-là, mais il n'y avait que des vieux dans cet endroit. Partout autour de moi, suintant les narcotiques, une véritable gérontocratie complètement givrée régnait de toutes ses rides, de toutes ses dents anormalement parfaites, se mouvant lentement vers une mort inéluctable. Et moi... Je me retournai et vis mon reflet dans la cage d'ascenseur vitrée. J'étais vieux. J'étais vieux et j'avais besoin d'un endroit où on pouvait s'occuper de moi. Voilà. Non, ce n'était pas un hos... C'était le Club Lafontaine. Non, même si je savais où j'étais, j'avais tout de même l'impression que...

– Uziel. On rit de moi. Je... Je veux régler. Je veux régler, Uziel!

UN DÉ FIXE

Des fantômes qui attendent l'autobus... Des ombrelles multicolores s'alignent dans une routine infernale. Il fait tellement chaud...

Je n'avais jamais connu d'autre température que cette chaleur accablante. Toutefois, lorsque cette chaleur persiste presque huit mois par année, il faut bien s'y faire. Le soleil était littéralement devenu l'ennemi numéro un de tout le monde, ici-bas; rester cloîtré chez soi, ça revenait à capituler devant cette boule de magma qui ricanait en nous voyant suer à grosses gouttes. J'avais parfois l'impression d'être en train de tourner comme de la mayonnaise au soleil... Ce n'était donc pas les lunettes de soleil – protection complète UV – ni l'oxyde de zinc que j'arborais sur les portions découvertes de mon corps qui étaient la cause des regards interrogateurs des gens attendant l'autobus avec moi...

Chétif, la barbe mal rasée, d'un air écœuré, il prend place au sein du cortège.

On entendait déjà la benne à ordures s'approcher. Le son du moteur qui ralentissait périodiquement était devenu mon signal pour savoir si l'autobus arrivait. En fait, la plupart du temps, les deux engins devenaient visibles en même temps, l'un et l'autre arrivant chacun par son coin de rue respectif. Mais, de loin, bien avant qu'elle apparaisse, la benne à ordures était beaucoup plus facile à repérer.

Automatiquement, je m'allumai une cigarette; j'avais tout juste le temps. Merde aux non-fumeurs; de toute façon, ce n'était pas ma fumée secondaire qui les incommodait, mais bien le fait que j'avais toujours le temps de terminer ma clope avant que le bus arrive. Parfois, certaines personnes me dévisageaient d'un air accusateur, comme pour me châtier d'avoir fumé en public. Pourtant, même si des tonnes de lois antitabac avaient vu le jour depuis 2000, le nombre de cigarettes vendues n'avait pas diminué. Dorénavant, il fallait tout simplement fumer en cachette, par « pudeur », par « respect ». D'ailleurs, la plupart du temps, les personnes qui me dévisageaient s'en allumaient une en sortant du bus, dès qu'ils se croyaient assez loin des passagers descendus en même temps qu'eux. C'était un pur plaisir pour moi de saisir au vol ce genre de situation, qui me révélait, l'espace d'un instant, toute l'hypocrisie de la société; ça m'inspirait.

L'odeur de tabac remplit ses narines, l'intoxiquant un peu plus à chacune de ses inspirations et, chaque fois, il y prend un plaisir... indescriptible. Oui.

Ce matin-là, je venais justement de terminer un scénario pour le travail. En plus d'avoir été productive, la nuit s'était avérée fraîche, comme je les aimais. Lorsqu'il ne faisait pas trop chaud, je me permettais d'arrêter la climatisation, question d'ouvrir une fenêtre de ma chambre que j'avais minutieusement descellée. J'adorais entendre le son de la ville en arrière-fond lorsque j'étais au travail, car, étrangement, j'avais l'impression que ça m'aidait à me concentrer...

En approchant la cigarette de ma bouche, je me rendis compte que l'encre maculait encore mes doigts. Les gens de la compagnie allaient encore m'en faire la remarque. J'en avais déjà assez des critiques à propos de mon habillement... Aujourd'hui, il faudrait donc que je me tape le sermon sur l'hygiène corporelle en plus. Au moins, mes proches collègues – pour la plupart des logiciens et des statisticiens – n'étaient pas comme la majorité des employés de Datalogic. Ils n'avaient pas tous ce regard mort qui tranchait étrangement avec les mots « marquant un dynamisme épatant » qui sortaient de leurs bouches. Mon équipe s'était d'ailleurs rapidement fait ostraciser par le reste des employés. Le traitement de faveur auquel on avait eu droit dès le début du projet ne plaisait manifestement pas à tout le monde. Najat Na'ilah elle-même, la fondatrice de la compagnie, avait insisté pour nous réserver l'entièreté du dixième étage du siège social. Malheureusement, même si ce plancher était exclusivement réservé aux membres du projet, je devais, en tant que chef de division, affronter les réunions avec les cadres, les lunchs d'affaires, enfin, toute la panoplie de petites assemblées de diplomatie interne.

L'autobus et la benne à ordures firent leur apparition au moment où, évidemment, je pris ma dernière bouffée de tabac. Une fois assis à l'intérieur du véhicule, je regardai le plus longtemps possible les éboueurs au travail... Ma journée commençait.

***

– T'es prêt?

Paul m'attendait, comme d'habitude, à l'arrêt d'autobus...

Pauvre Paul...

Mon plus proche collaborateur, devenu avec le temps mon meilleur ami, m'avait toujours attendu avant d'entrer au bureau. Tout en descendant de l'autobus, je lui montrai l'état de mes mains en guise de réponse.

– T'es prêt, confirma-t-il.

– Je crois que j'en ai un bon, aujourd'hui.

– On verra bien! À l'heure qu'il est, tout le monde doit être arrivé. Au fait, pourquoi tu t'obstines à toujours prendre l'autobus? Depuis le temps, tu devrais savoir qu'il arrive toujours trop tard?

– Oui, mais au moins, j'arrive toujours en retard à la même heure. Avec une voiture, y'a les embouteillages, la mécanique, l'essence, les accidents... Ce serait l'enfer.

– Avec l'autobus aussi, Mathieu.

– Mais les probabilités sont moins grandes.

– Tu veux parier?

– On le fera sur l'heure du dîner, si ça t'amuse et si tu n'es pas trop accaparé par un de tes jeux vidéo.

Paul avait toujours été un peu immature. En fait, la majorité des programmeurs du projet agissaient comme une bande de gamins. À la seconde où ils bénéficiaient d'un peu de temps libre, ils se branchaient sur leurs consoles. Mais Datalogic voulait les meilleurs, et c'était eux.

Mais qu'est-ce que je fais ici, moi?...

Chaque matin, c'était la même chose. Je pensais à mon corps faible et presque difforme, à mon visage grimaçant, mais surtout, aux agences d'auteurs qui n'avaient jamais voulu de moi lorsque j'étais sorti de l'université. J'avais oublié combien de fois je m'étais fait dire que je n'avais pas le physique de l'emploi, sans même qu'on ait lu mes manuscrits. Datalogic, elle, m'avait donné une chance en or de prouver de quoi mon imagination était capable, à un salaire qui dépassait largement le cachet moyen des écrivains. Voilà ce que je faisais là; j'étais là pour le fric. Pour les gros sous. Voilà pourquoi, chaque matin, je franchissais la porte de cet immeuble. Bien sûr, je ne me sentais pas à ma place à l'intérieur de cette immense boîte, mais au moins, je faisais ce que j'aimais. Sans parler du fait que le projet, unique en son genre et donc entouré d'une dose de mystère, était assez stimulant...

Machinalement, nous fîmes notre entrée à l'intérieur de l'édifice. Nous sentîmes aussitôt l'air froid de la climatisation entourer nos corps bouillants. C'était comme recevoir un coup de bâton sur la nuque. Paul s'arrêta un moment, une moue triste et dégoûtée imprimée sur le visage, ayant lui aussi l'air de se demander ce qu'il foutait là :

– Tu pourrais pas leur demander de procéder au changement de température de manière plus progressive?

– Ça coûterait trop cher, à moins qu'on réussisse à démontrer que ça pourrait constituer un investissement à long terme...

– Je me mets là-dessus dès que j'ai une minute. Sérieusement.

Après avoir pressé nos pouces sur une plaque située près de l'entrée, nous passâmes l'immense porte métallique. Lorsque j'avais signé mon contrat, je n'avais pas compris pourquoi ma police d'assurance stipulait que mon pouce droit avait une valeur de cent mille dollars. C'était vite devenu un *running gag* dans l'équipe : qu'en cas d'extrême nécessité, on n'avait qu'à se couper le pouce droit.

Mais, depuis un certain temps, la blague ne faisait plus rire : on l'avait sans doute trop faite.

Je pouvais très bien comprendre pourquoi Paul m'attendait toujours avant de faire son entrée au travail. Bien sûr, il était timide de nature, mais avant tout, il y avait ce satané hall. Le hall de Datalogic devait être l'endroit le moins accueillant du monde. Tout juste après le portail, on se perdait dans cet immense espace qui abritait le poste de sécurité central. À part les dimensions titanesques de la salle, il n'y avait pourtant rien de très intimidant. Pas même les gardiens qui, somme toute, étaient très cordiaux. Pas de toiles célèbres, ni de plantes exotiques démesurées, pas même de fauteuils en cuir pour faire « patienter » les visiteurs. J'étais certain que c'était justement cette absence d'ornementation qui exerçait un pouvoir dominateur sur nous. En fait, il n'y avait tout simplement aucun élément qui pouvait nous donner envie de rester dans ce hall et, sans aucun doute, c'était exactement cet effet que la compagnie avait recherché en construisant la salle; les gens qui avaient affaire à l'étage ne s'attardaient pas inutilement en bas, et les indésirables se faisaient plus rares.

Une poignée d'employés attendait les ascenseurs, situés tout au fond. Malgré notre approche, personne n'avait détourné son attention des chiffres indicateurs qui s'illuminaient les uns après les autres. Paul jouait avec ses boutons de manchette et me regardait fréquemment à la dérobée, comme pour s'assurer que je n'avais pas disparu. Plus nous approchions, plus j'espérais voir une des nombreuses portes d'ascenseur s'ouvrir, question d'éviter au moins l'attente en compagnie de ces corporobots.

Directement sorti des chaînes de fabrication universitaires, le corporobot vient en deux couleurs de veston différentes : noir et bleu foncé. Ajoutez-y des rayures, pour un look plus funky...

Nous accélérâmes simultanément le pas lorsque la cloche qui annonçait l'arrivée d'un ascenseur se fit entendre. Le son produit par nos chaussures, qui claquaient de plus en plus rapidement sur le sol de marbre, alerta aussitôt le groupe qui se préparait à s'y engouffrer. Quelques personnes avaient nonchalamment tourné la tête dans notre direction et, ô surprise, l'une d'elles retenait la porte. En entrant, Paul lui lança un timide « merci » qui se perdit dans un silence opaque.

L'homme qui venait de nous rendre service ne semblait pas avoir pris conscience du geste qu'il avait posé. Son regard se perdait dans le vide qui rétrécissait au fur et à mesure que les portes de l'ascenseur se refermaient. Ce n'est que lorsqu'elles se scellèrent que l'homme jeta un regard sur mon collègue. En observant l'individu du coin de l'œil, je notai un certain malaise sur son visage. Il cherchait où regarder, quoi faire de ses mains, et fixa finalement deux femmes aux allures de maîtresses d'école qui venaient brusquement de mettre fin à leur conversation. Paul, qui était le plus près du panneau de commande, introduisit sa clef dans la serrure installée à côté du chiffre dix. Je sentis la tension monter d'un cran. L'ascension jusqu'au dixième étage fut rapide, mais j'eus tout de même le temps d'avoir une envie intense de m'allumer une autre cigarette.

Il est l'agent contagieux du cancer.

Le reflet doré des portes de l'ascenseur laissa place à un segment du dixième étage. Au moment où nous franchîmes le seuil, quelqu'un passa devant nous en planche à roulettes :

– Grouillez-vous, vous êtes en retard pour le meeting!

– Je sais, Charles.

Je me retournai pour voir la réaction des gens qui étaient toujours dans l'ascenseur, mais les portes s'étaient déjà refermées derrière moi. Je restai quelques instants immobile devant les portes closes, incapable de faire quoi que ce soit. J'étais laid, mal rasé, mal foutu, et j'en étais bien conscient. Mais, chaque matin, je n'avais pas le courage de faire ma toilette. Je ne savais jamais par où commencer; trop à faire...

– Mathieu?

– Hum.

– Tu viens?

Bien sûr que je venais. L'équipe n'attendait plus que nous pour commencer à s'activer. Nous nous dirigeâmes donc en silence vers la première porte vitrée qui menait au complexe Spéculation.

La porte, dont l'ouverture était contrôlée par une carte magnétique, donnait sur la réception, où il fallait s'enregistrer auprès du « réceptionniste ». En réalité, celui-ci avait beaucoup plus l'air d'un garde de sécurité mais, au moins, il était plus sympathique. Madame Na'ilah avait décidément pensé à tout pour plaire aux membres du projet. En fait, ces attentions étaient assez compréhensibles étant donné que certains tests pouvaient durer près de trois jours sans que les employés puissent rentrer chez eux. Le complexe était donc muni d'un dortoir, d'une salle de jeu et d'une cuisine; on pouvait donc y vivre sans trop subir les effets de l'enfermement prolongé. En me rendant vers la salle de réunion principale, je réussis à me convaincre que, pour le prochain test, la totalité de ces dispositifs servirait, et sûrement beaucoup plus que pour n'importe quel autre test que j'avais orchestré jusqu'à maintenant.

Lorsque j'entrai dans la salle, j'eus l'impression de me retrouver au milieu d'une bande d'étudiants qui célébraient l'absence de leur professeur. Les gens associés au projet Spéculation, à l'exception de Paul, madame Na'ilah et moi, ne semblaient pas être conscients de la portée et de la gravité de leur travail. Toutefois, tout un chacun était là, fidèle au poste, ultra-compétent et excité de recevoir sa prochaine mission. C'était tout ce qui comptait pour Datalogic. Qu'ils fassent partie de l'équipe d'analyse géopolitique ou socioéconomique, qu'ils soient programmeurs ou statisticiens, ils siégeaient tous autour de la grande table, comme un seul homme, prêts à recevoir les ordres.

– Si vous continuez de la sorte, monsieur Orvy, il faudra planifier les réunions préliminaires quinze minutes plus tôt.

Tout le monde s'était tu. Elle avait parlé sur un ton autoritaire, tout en s'assurant qu'une certaine dose de complicité soit toujours perceptible dans sa voix. Je fus pris de court. Elle adorait me faire ça. Saper ma crédibilité pour me rappeler – ou pour rappeler aux autres, je n'en étais pas trop certain – qui était le vrai patron. Il était évident qu'elle le faisait en grande partie par pure perversité, car personne ne doutait de sa légitimité à diriger l'entreprise. Elle l'avait fondée vingt ans auparavant, alors fraîchement diplômée en études commerciales et riche, déjà, d'une très grande expérience dans le domaine de la sécurité et des renseignements. Son père, qui avait été garde du corps pour le gouvernement marocain pendant trente-cinq ans, avait grandement contribué à l'essor fulgurant de la compagnie. De plus, il ne fallait pas négliger le fait que la demande en services de sécurité professionnels était de plus en plus grande, principalement de la part des sociétés et des instances étatiques. Toutefois, malgré ces conjonctures hautement favorables, c'était la créativité phénoménale de Najat qui avait fait d'elle une des femmes les plus riches du monde.

– Suis-je trop brillante pour vous, monsieur Orvy?

– Pardon?

– Votre zinc, Mathieu. À moins que vous n'ayez l'intention de nous quitter bientôt?

– Absolument pas, madame. Désolé...

Paul, qui s'était assis à ma gauche, me tendit un mouchoir que j'humidifiai en le trempant légèrement dans un verre d'eau posé devant moi. Najat souriait en attendant que j'aie terminé ma besogne. Est-ce qu'elle me souriait ou souriait-elle devant le ridicule de la situation? Allez savoir... Une certitude demeurait; c'était qu'elle était d'une beauté fulgurante.

Son tailleur coupé sur mesure moulait discrètement ses courbes orientales, qui venaient terminer leur plongée dans le creux d'un cou saillant vers l'infini.

Je la regardais tout en dénudant mon visage de zinc et faillis renverser mon verre en y trempant le mouchoir. Putain de verre. Elle hocha la tête, encore plus souriante qu'auparavant. Les autres s'étaient remis à parler de tout et de rien avec insouciance. Je profitai donc du fait que Najat essayait de ramener la foule à l'ordre pour terminer mon débarbouillage en vitesse, pestant silencieusement contre le verre d'eau récalcitrant.

– Allez, Mathieu! Cessez de nous faire languir de la sorte! Vous voyez bien que tout le monde est impatient de savoir dans quoi vous allez nous embarquer.

Je pris soudainement conscience de l'ampleur que pourrait prendre le scénario que j'avais orchestré au cours de la nuit. En me levant pour parler, je pensai au fait que je n'avais jamais vraiment réfléchi à la critique que subirait cette idée de test. L'idée que je pouvais en choquer certains ne m'avait jamais traversé l'esprit. L'intuition avait été trop forte, le besoin de communiquer ma découverte, trop grand. Pour quelqu'un dont le travail était presque de prédire le futur, ce n'était absolument pas professionnel, et si l'idée ne suscitait pas l'enthousiasme dans l'équipe, Najat m'en tiendrait rigueur. Elle venait d'ailleurs de s'apercevoir que quelque chose me tracassait. Il fallait que je me lance :

– Ça fait déjà presque cinq ans que notre division existe et comme vous le savez, les choses vont très bien. Depuis cinq ans, nous avons réussi à prédire plusieurs scénarios de crises qui ont bel et bien eu lieu et, grâce à ces prédictions, nous avons pu adopter des plans de gestion sur mesure qui nous ont donné une longueur d'avance considérable sur nos concurrents. Prenons, par exemple, l'anticipation du coup d'État au Nigeria, qui nous a permis de solidifier nos relations avec le gouvernement en place. Inutile de vous rappeler que, depuis ce temps, nos contrats en matière de sécurité pétrolifère ont doublé là-bas...

Les regards interrogateurs fusaient de toutes parts. Je m'en aperçus rapidement; une telle introduction était beaucoup trop solennelle pour que les employés autour de la table ne se rendent pas compte du caractère inhabituel de cette réunion. Seule Najat gardait son sang-froid. Au moment où je m'étais levé pour prendre la parole, elle avait aussi quitté son siège. Madame Na'ilah accordait décidément une grande importance à la symbolique... Et ça marchait beaucoup trop bien à mon goût. Soudainement, la femme à l'aura exotique s'était transformée en véritable minaret surplombant l'horizon, protégeant, gardant et châtiant. J'avais passé la nuit à faire des calculs de probabilité, comme pour un jeu ou un devoir de maths sur lequel on pioche pour épater ses camarades. Debout devant mes collègues, j'étais de retour dans le monde réel et tout allait beaucoup trop vite à mon goût. Je sentais que des forces nouvelles se mettaient en place, au fur et à mesure que je parlais. Je tentai toutefois de garder mon calme en me concentrant sur ce que j'avais à dire, mais je me fis interrompre par Xavier, le sociologue en chef du projet, qui me regardait d'un air particulièrement inquiet :

– On sait déjà tout ça, Mathieu. Où veux-tu en venir au juste? On dirait que tu vas nous annoncer ta démission...

Il est impossible d'escalader un minaret de bronze. Son ombre a toutefois des limites.

– Rassure-toi, Xavier. Je veux tout simplement vous faire comprendre qu'en damant le pion de la sorte aux autres compagnies de sécurité, le projet

Spéculation ne pourra plus se cacher derrière l'étiquette « recherche et développement » pour encore bien longtemps. Un jour ou l'autre, sans vouloir faire de mauvais jeu de mots, nos concurrents auront la puce à l'oreille... Chers collègues, c'est la prémisse de base du prochain test.

Silence dans la salle. La bande d'adolescents que j'avais entrevue à mon arrivée avait laissé place à l'équipe de spécialistes de renom. Chacun devait être en train de se poser, intérieurement, des questions propres à ses champs d'intérêt. En quelques fractions de seconde, sans même avoir reçu de directives, les esprits s'activaient, la machine commençait tranquillement son travail. On se jetait des regards de complicité ou, dans certains cas, de défi. Quelques-uns se mirent à griffonner sur des blocs-notes tandis que d'autres se penchaient pour chuchoter à l'oreille de leur voisin. Sur le coup, je fus convaincu du succès de mon pari. Je sentis pourtant quelque chose de différent dans l'excitation de ce drôle d'engin. Je me tournai instinctivement vers Paul, pour essayer de saisir ce je-ne-sais-quoi d'inhabituel dans son regard. J'y trouvai un soupçon de panique, comme un éclair de génie apeuré; comme moi, il avait compris.

– Si j'ai bien compris, monsieur Orvy, vous avancez comme hypothèse que la reproduction du projet Spéculation pourrait éventuellement être considérée comme une forme de crise...

Dans quel merdier je viens de me fourrer!

Depuis que j'avais annoncé la prémisse de base du test, c'était la première fois que Najat prenait la parole. Elle était maintenant confortablement assise dans le siège directement opposé au mien, légèrement penchée vers l'arrière, les yeux plissés, ses avant-bras déposés sur les accoudoirs du fauteuil. En fait, j'aurais préféré qu'elle adopte une attitude plus pensive. Sa position donnait l'impression que tout était déjà décidé d'avance. Que ma réponse n'avait absolument aucune importance et qu'elle ne me posait une question que pour la forme. Je pris toutefois un moment avant de répondre afin de réfléchir à son allusion. À bien y penser, la question était un piège. En répondant par l'affirmative, j'insinuais que le projet pouvait constituer un risque pour l'entreprise, tandis qu'opter pour la négative rendait le test complètement futile. Pas de crise, pas de raison de faire un test. J'optai donc pour la rhétorique :

– Présentement, les affaires vont très bien pour nous et il est toujours bon de demeurer alerte, surtout dans des moments comme ceux-ci, où l'on peut être parfois aveuglé par l'allure flamboyante que prennent certaines de nos opérations...

– Oui, je vois. Bon, on prend une pause. Étant donné que le test de monsieur Orvy diffère légèrement des paramètres habituels, je voudrais m'entretenir des modalités à suivre avec lui. Merci, tout le monde, nous vous tiendrons au courant. Pour l'instant, vous pouvez continuer la cueillette des données concernant la situation à Taïwan.

Je vais perdre mon emploi.

Parmi toutes les tâches que nous accomplissions entre les périodes de tests, la collecte de données était la plus ingrate. Je regardais pourtant avec envie mes collègues quitter progressivement la salle. L'impression d'être un jeune qu'on garde en retenue après la classe m'envahissait au fur et à mesure que la pièce se vidait. Najat siégeait toujours en face de moi, impassible. Lorsque les deux portes de la salle achevèrent de s'agiter, elle porta son attention sur un bloc-notes où elle gribouilla quelque chose pour ensuite le faire glisser jusqu'à moi d'un geste sec :

« Ils vont nous écouter. Pour l'instant, on parle des modalités pendant quinze minutes. Tu me rejoins à mon bureau dans deux heures. Ne jette pas le papier. »

Je perds mon emploi.

Nous discutâmes de futilités environ vingt minutes. Après avoir passé rapidement en revue les paramètres, la durée du test et l'organisation matérielle compte tenu de ladite durée, je quittai la salle, angoissé, ne pouvant déjà plus me rappeler la moitié de l'entretien. Je tentai en vain de garder mon calme, me maudissant d'avoir été si dupe de la latitude que je pouvais prendre au sein du projet. Moi qui avais commencé cette journée comme n'importe quelle autre, j'avais l'impression qu'elle allait finir de manière dramatique.

Besoin intense de fumer. De transformer ne serait-ce qu'un peu de matière.

Ma pause cigarette fut particulièrement longue. Je passai les deux heures qui me séparaient de mon rendez-vous en longeant les murs, évitant, dans la mesure du possible, de discuter avec mes collègues. Par chance, mon attitude passa pour un caprice d'artiste en pleine séance de création. Par contre, à l'intérieur, j'étais complètement hors de moi. La même phrase me revenait constamment à l'esprit. Si j'avais pu m'engueuler moi-même sans avoir l'air d'un parfait idiot, je l'aurais fait.

N'oublie pas, Mathieu, tu es un poète jetable...

Heureusement, je me souvins du regard de Paul. Tout juste avant ma rencontre, j'allai donc dans son bureau, supposément pour prendre des nouvelles au sujet de la cueillette de données. Je n'eus pas besoin d'insinuer quoi que ce soit; Paul avait bien vu que quelque chose n'allait pas :

– Ça va, toi?

– Najat ne semble pas très emballée...

– Tu crois?

– Je pense, oui. Mais ce qui m'embête le plus, c'est justement le fait que je n'avais pas prévu à quel point cette idée pouvait être perçue comme une remise en question du projet...

– Hey, Mathieu... On peut pas tout prévoir, hein?

La remarque vint comme une réponse ultime à mes angoisses. La mine complice que me fit Paul en prononçant ces mots prouvait qu'il avait bel et bien compris ma motivation à choisir une telle prémisse. On ne peut pas tout prévoir. Reproduire la structure du projet Spéculation dans plusieurs domaines de notre société reviendrait à vouloir combattre le hasard. L'idée avait fait naître en moi un vif sentiment de répulsion. Pouvais-je en expliquer les causes? Pas encore. Toutefois, pour la première fois depuis mon embauche, j'avais senti que toute cette histoire de prédiction pouvait éventuellement mal finir. Paul me confirmait que je n'étais pas le seul.

– T'as raison. Je m'en fais pour rien... Je te laisse à ton boulot.

– Oui, et moi je te laisse au tien : t'en faire!

Sur ces mots, je me dirigeai d'un pas un peu plus confiant vers le bureau de Najat. Tout en marchant, je me mis à penser aux employés qui devaient être en train d'effectuer le même raisonnement que j'avais fait la veille, sous la fenêtre ouverte de mon bureau. Je me demandais s'ils pressentiraient tous la même chose que moi. Oui, Paul m'avait prouvé que je n'étais pas le seul à m'inquiéter, mais faire l'unanimité au sein de l'équipe était une autre histoire...

Elle devait être en train de m'attendre derrière son bureau, révisant point par point les différentes étapes du numéro qu'elle s'apprêtait à me jouer : posture, physionomie et langage à adopter, souplesse à accorder, ordres à donner...

Je ne pouvais pas être totalement certain de ce qu'elle voulait me dire, mais je savais que mon idée avait bousculé quelque chose dans ses plans, l'avait déstabilisée et, peut-être même, choquée. Il fallait que je lui prouve que là n'était pas mon intention, et que j'avais pris cette initiative « en conservant l'intérêt de l'entreprise au cœur de ma démarche »... Quoique peut-être un peu trop cliché...

Je ne savais plus. Comble de l'ironie, en essayant de porter un regard d'ensemble rapide, je me perdais littéralement en spéculations... Cette dernière remarque à moi-même eut au moins le mérite de me donner un air amusé à l'instant où j'entrai dans le bureau de ma patronne.

Elle devait avoir pensé au fait que je l'imaginais en train de m'attendre.

En plus de ses appartements du dernier étage de l'immeuble, Najat s'était fait aménager un deuxième bureau au dixième. Modeste, il était toutefois équipé pour lui permettre d'y séjourner sans inconfort pendant les périodes de test. Elle était assise derrière un bureau d'acajou massif à la teinte bourgogne, qui contrastait agréablement avec les murs en béton qui l'encadraient et les différents outils de travail qui le parsemaient. Lorsque j'entrai, Najat avait les yeux fixés sur un cube d'environ un décimètre d'arrête posé devant elle :

– Encore une fois, vous réussissez à me surprendre. Qu'est-ce qui vous fait sourire?

Je devais lui dire la vérité. Najat n'était pas du genre à vouloir se faire complimenter, encore moins à aimer se faire raconter des histoires et, étant donné que j'étais réputé pour en conter des bonnes, elle se méfiait doublement.

– Le fait qu'on ne peut pas tout prévoir.

Ses yeux quittèrent le cube pour venir s'accrocher aux miens. Elle poussa légèrement l'objet vers moi. Il était translucide comme le verre, mais quelque chose me disait que ce n'en était pas. Je me rappelai à quel point Najat aimait les symboles.

– Vous savez ce que c'est?

– Quelque chose qui vous tient à cœur, visiblement.

– J'ai toujours été passionnée par le hasard. Les hommes, dans mon pays, peuvent passer des journées entières à jouer aux cartes, vous saviez?

– Non, je croyais que c'était une idée reçue interdite par l'escouade de la moralité...

– Nous sommes donc deux terroristes de la moralité. Un fumeur et une raciste...

J'avais réussi à détendre l'atmosphère. Bien sûr, je savais que Najat avait toujours légèrement méprisé les siens. Rares étaient les gens de sa condition qui appréciaient leurs origines.

– Sérieusement, Mathieu. Vous me connaissez bien, vous savez que j'ai décidé de mettre sur pied ce projet lorsque j'ai entendu aux nouvelles que deux hommes avaient réussi à calculer les mises gagnantes à la roulette. Voici ma deuxième motivation.

Elle avait pointé le cube :

– C'est un diamant destiné à devenir un dé. À l'origine, je désirais concevoir un dé parfait. Ma fascination pour les jeux de hasard m'a amenée à vouloir « saisir » ce hasard, à le matérialiser dans sa forme la plus pure. Le cube que vous voyez est donc parfaitement symétrique. Le seul problème est qu'il ne deviendra jamais un dé...

– Les chiffres qui y seraient inscrits déséquilibreraient la symétrie...

– Le hasard est une illusion, Mathieu. Notre travail est justement de percer cette illusion pour ne plus jamais être pris au dépourvu.

Voilà ce qui avait signé notre acte de naissance : une fantaisie avortée de milliardaire, un éclair de génie beaucoup trop riche. Pour elle, le fait qu'un dé ne puisse être parfait était la preuve irréfutable que le hasard n'existait pas, que ce n'était qu'un manque de rigueur pouvant être évité. Bien sûr, son raisonnement était logique mais, encore une fois, mon intuition me disait que ça n'avait aucun sens. J'avais beau vouloir être franc avec elle, je ne pouvais tout simplement pas lui dire que ce qui avait motivé la création du projet Spéculation me faisait une peur effroyable :

– C'est une belle métaphore pour parler de notre faculté à prédire certains événements. Mais une métaphore peut parfois avoir plusieurs sens, du moins être interprétée de plusieurs manières.

– Où voulez-vous en venir?

– Votre dé peut aussi bien représenter l'immobilisme qu'entraînerait une société qui passe tout son temps à prédire le futur... Comme votre dé, elle ne servirait à rien. Je crois que c'est le fond de l'inquiétude qui m'a poussé à déposer la prémisse d'aujourd'hui. Le pourcentage de chance que le grand public apprenne, un jour, l'existence du projet est très élevé. Nécessairement, toutes les sphères de notre économie voudront faire comme nous et développer de nouvelles méthodes, prévoir toujours plus loin et toujours plus vite. Nous deviendrons donc esclaves d'une méthode qui nous obligerait à analyser constamment une infinité de facteurs. J'ai l'impression que nous venons de créer un cercle vicieux sans précédent...

Najat semblait profondément troublée. Elle regardait au loin, par la fenêtre située à sa gauche, se massant la tempe de la main droite. On aurait dit qu'elle évitait mon regard, insultée. C'était la première fois que je la voyais dans un état de réflexion aussi profond. L'équation était pourtant simple, mais elle devait lui avoir échappé dans l'excitation de sa découverte. Elle semblait pourtant vouloir s'obstiner à défendre son point de vue. Elle reprit, sans changer de posture, hésitante :

– Oui, mais un jour, la technologie...

– Il y a des limites, Najat!

J'enrageais tout en prenant conscience que je pouvais dire adieu à mon poste. C'était pourtant plus fort que moi. La pensée magique de « la technologie venant au secours de l'homme en besoin » me fit perdre mon sang-froid. Je me levai de mon siège et fis mine de sortir, bouillonnant, lorsqu'elle prit soudainement la parole d'une voix faible, abattue :

– Mathieu...

Elle me regardait avec des yeux brillants, la main droite toujours sur la tempe, impuissante derrière le bureau qui prenait des proportions absurdes, compte tenu de la situation. Je la sentais pourtant capable de faire les pires folies. Capable de tout abandonner, de tout vendre en un instant. La situation était beaucoup trop étrange pour que je puisse la supporter; il fallait que je décompresse. Cette discussion avait créé chez moi des aversions nouvelles que je n'avais jamais senties auparavant. J'avais raisonné au fur et à mesure que je répondais à Najat, et une autre certitude venait de naître en moi :

– Vouloir combattre le hasard, l'incertain, c'est un peu comme vouloir combattre l'espoir, Najat...

J'ouvris la porte du bureau et marchai en toute hâte vers celles des ascenseurs. Tout allait beaucoup trop vite pour moi, il fallait que je prenne une pause, que l'enchaînement endiablé de mes idées se calme pour un instant. Je ne savais pas si j'allais conserver mon emploi ou si je venais de signer l'arrêt de mort du projet. J'ignorais pourquoi j'avais fait tout ça et ce vers quoi je m'en allais, encore plus pourquoi je m'en allais. Au fait, l'avais-je déjà su?

Ascenseur, ouverture des portes, longue descente pénible et mécanique, réouverture des portes, hall, putain de hall, ouverture des portes, extérieur.

J'eus comme un vertige. La chaleur venait de me donner un coup horrible à la nuque. Désorienté, je levai la tête en direction des gratte-ciels, plissant les yeux, cherchant mon air. J'eus tout juste le temps d'apercevoir un rayon de soleil traverser le cube de diamant qui allait, une fraction de seconde plus tard, me défoncer le lobe frontal.

ARCHÉOGROOVE

Il fallait attendre la nuit pour pouvoir s'introduire à l'intérieur des enceintes qui protégeaient les immenses dépotoirs couverts. Ce n'était pas permis, mais les sociétés qui géraient les sites d'enfouissement semblaient fermer les yeux, une fois la pénombre arrivée... On aurait pu croire le contraire, mais comme les plaintes de la population étaient moins grandes lorsqu'elle n'était pas témoin de nos intrusions, les dirigeants du pays – politiciens ou hommes d'affaires, allez savoir – avaient cru préférable d'instituer tacitement cette entente. Sans compter qu'en nous laissant faire, ils faisaient diminuer la criminalité... Ils ne faisaient jamais rien pour rien, les porcs... S'ils avaient pu tous nous gazer, ils l'auraient fait depuis longtemps... Incroyable de voir qu'enfin l'opinion publique nous protégeait sans le savoir.

Malgré l'obscurité, on pouvait percevoir la multitude de personnes qui nous imitaient; la plupart, bien sûr, le faisaient pour survivre. À la recherche d'un bout de vêtement, d'un morceau de nourriture pas tout à fait pourri. Ils disaient, de manière un peu tragique d'ailleurs, « juste à point ».

Nous, la racaille des cités, la petite graine ratatinée des ruelles malodorantes, on était là pour autre chose. La bouffe, on pouvait toujours aller la chourer chez un Paki ou un Viet qui tenait boutique tout proche. Pas question de se rabaisser à cueillir la merde des merdes comme si c'était une véritable manne. Non. Nous, on était là pour les artefacts. On était là pour la mémoire du monde, peu importe ce que disaient les gens à propos de leur passé qu'ils méprisaient tant. Le siècle des fascistes qui avaient réduit le peuple à l'esclavage était derrière eux, qu'ils disaient. L'État-providence était mort, qu'ils disaient. La dictature des syndicats, des féministes, des gauchistes et des intellos aussi, qu'ils disaient... Je n'y comprenais pas grand-chose, mais j'avais la certitude qu'un gouvernement qui interdisait de créer de la musique comme on voulait, ce n'était pas bien mieux...

Anorak de couleur sombre, capuchon sur la tête, pelle militaire dans le dos, une bonne paire de gants pour protéger des mauvaises rencontres en fouillant les décombres, on avançait à tâtons dans l'obscurité du hangar. L'air était pratiquement irrespirable, malgré les nombreux systèmes de ventilation industrielle qui avaient été installés. On s'était séparés pour optimiser les recherches.

Hakil était parti à l'est, tandis que Phil cherchait dans la partie nord. Je fouillais, quant à moi, la portion ouest, à la recherche de n'importe quoi qui pouvait nous aider à produire un son différent de ce qu'on entendait un peu partout à la radio.

On était des hors-la-loi. Coupables de déterrer des choses que les gens voulaient oublier. Nous, on se considérait comme des archéologues, des archéologues du groove, du *lyric* qui tue, qui t'arrache, qui t'débranche. À défaut de pouvoir acheter des instruments de musique ou des samplers, à défaut de pouvoir écouter la musique d'avant, on fouillait les ruines du passé pour en trouver, au péril de notre « avenir », pour emprunter un de leur mot favori. Quel avenir de toute façon? Est-ce que l'avenir existe vraiment lorsqu'on a tout prévu? L'école où on va aller étudier, le boulot, la famille qu'on aura, les enfants, la voiture, la maison, la télé; ça, ce n'est pas un avenir, c'est de la programmation. J'avais entendu ça dans un vieux film que le grand-père d'Hakil m'avait prêté un jour. Je ne pouvais pas m'empêcher de penser à tout ça quand j'étais en train de fouiller. Avoir les deux mains dans les poubelles, ça me rappelait à quel point on était loin du but...

Tout autour de moi, des petites lumières s'allumaient et s'éteignaient régulièrement. Le grand-père d'Hakil disait que ça ressemblait à des lucioles, mais je n'en avais jamais vues, alors je ne pouvais pas vraiment savoir. Ça devait être beau...

En réalité, c'étaient des gens qui communiquaient entre eux à l'aide de codes simples. Chaque groupe avait le sien, alors c'était assez difficile de décoder les messages des autres. Notre petit groupe avait toutefois abandonné ce moyen de communication depuis longtemps. Plus besoin de lumière pour savoir quand il fallait arrêter ou quand il fallait se regrouper. On marchait à l'instinct, et ça fonctionnait presque à tous les coups. Dans le cas contraire, on se retrouvait au magasin du grand-père d'Hakil.

Pour ma part, la seule lumière que je produisais provenait de la cigarette qui me pendait au bout des lèvres. En fait, c'était pour ça que je portais des lunettes de protection. À mes débuts, lorsque je me penchais pour fouiller les décombres, la fumée venait me piquer les yeux, m'obligeant continuellement à faire des pauses. Comme si j'avais besoin de ça. Le travail se faisait dorénavant bien et vite. Pas une seconde de perdue, je savais quoi chercher et comment le chercher.

Ce soir, la chance n'était toutefois pas au rendez-vous. Enfin... dans mon cas. Plus le temps s'écoulait, plus j'espérais qu'Hakil ou Phil ait trouvé quelque chose. On avait grandement besoin de nouveau matériel. La demande était forte dans la cité.

Oh, putain, ta gueule, Wawa, avec ta « demande »!

En fait, on commençait à avoir fait le tour plusieurs fois de nos artefacts. Après avoir coupé, collé, recoupé et recollé, mixé et remixé de toutes les manières imaginables la musique qu'on avait trouvée, il fallait bien passer à autre chose.

J'entendis tout à coup un bruit de course dans la portion nord.

Phil!

Ma cigarette venait de faire une chute d'environ cinq pieds et demi. Je me mis à courir, direction nord, tout en lâchant un cri qui pouvait ressembler à celui d'un animal en détresse :

– Hak!

Hakil avait très bien compris; on aurait dit un chevreuil qui décampe en voyant un chasseur. Phil était devant nous, mais nous le rejoignions beaucoup trop vite. Il y avait quelque chose d'inhabituel dans tout ça, je le sentais. Pour éviter de trébucher sur le sol inégal, il fallait sauter à plusieurs reprises, s'aidant des multiples perches, manches et bâtons qui sortaient de l'amas de détritus. Philippe semblait incapable de nous imiter; soit il était blessé, soit il transportait quelque chose de lourd. Ou quelque chose de précieux...

Arrivés à sa hauteur, nous constatâmes avec soulagement qu'il avait tous ses morceaux. Phil n'était pas bien pour autant. Il n'avait pas arrêté de courir, tout en nous regardant d'un air à la fois inquiet et excité. Je pouvais voir que son sac à dos contenait quelque chose d'assez gros et de sûrement assez lourd, mais tout n'était pas gagné. Il fallait se rendre dans un endroit sûr sans se faire prendre, que ce soit par un agent de sécurité qui passait dans le coin ou par un maraudeur qui avait compris qu'on avait eu de la chance ce soir-là.

Nous sortîmes bientôt du hangar pour ensuite nous précipiter vers la clôture qui encerclait l'endroit. Dehors, il faisait presque aussi noir qu'à l'intérieur. Malgré tout, on pouvait très bien discerner l'obstacle qui se dressait devant nous. La clôture était immense, surplombée par d'intimidants barbelés. Étrangement, les alvéoles de métal étaient assez larges pour qu'on puisse y insérer la pointe d'une chaussure, juste assez pour progresser jusqu'au sommet. Je ne pouvais pas croire que les porcs n'y avaient pas pensé. Ça me faisait rager...

J'avais tellement de difficulté à cerner ce genre de trucs. Un vrai labyrinthe...

En fait, ça me faisait peut-être peur, tout comme le fait qu'on pouvait laisser toute proche la couverture qui nous permettait de traverser les barbelés, sans jamais que quelqu'un la déplace. Pourtant, je n'en avais jamais parlé aux autres...

La clôture derrière nous, pliant les genoux pour amortir la chute, les mains à plat sur le pavé, on revenait à la vie. Le *beat* reprenait son allure normale. Hakil, en sautant la clôture, avait récupéré la couverture au passage et la rangeait dans son sac, tout en regardant Philippe d'un air interrogateur :

– Yo Phil, qu'est-ce t'as?

– Faut aller voir grand-père.

– Tant que ça?

Philippe laissa la question d'Hakil se perdre dans le demi-silence du quartier industriel. La réponse était claire. La couverture et nos anoraks rangés dans le sac, on s'est mis en marche vers l'atelier de grand-père. On avait l'air de trois jeunes des cités typiques avec nos chandails de groupes légaux à la mode. Les dépotoirs étant situés dans le nord de la ville, il fallait se rendre au métro Henri-Bourrassa à pied, car les autobus ne couraient pas les rues dans le coin et, de toute façon, ce n'était pas très loin. Malgré tout, on prenait nos précautions. Question de ne pas attirer l'attention sur nous, on empruntait les airs d'une bande qui ne fait que passer par là. Ne pas courir, sans toutefois aller trop lentement. Avoir tout simplement l'air de se rendre quelque part, dans un endroit bien précis, sans donner l'impression que notre vie en dépendait. Ne pas sortir du lot, devenir le passant, celui que l'on croise, le figurant...

***

Wawa avait toujours été comme ça. Un révolté timide. Celui qui a un caillou en permanence dans sa chaussure, mais qui ne s'arrêtera jamais pour l'enlever parce qu'il n'a jamais connu autre chose. Depuis que je le connaissais, il s'était toujours tenu à l'écart. D'ailleurs, pour lui, grand-père n'était que « le grand-père d'Hakil ». Il avait toujours eu de la difficulté à se sentir chez lui avec nous, et grand-père le savait très bien. Le paternel ne s'en était jamais formalisé pour autant. Même si Wawa et moi n'étions pas de son sang, on faisait tout de même partie de la famille. Tous deux orphelins, sans foyer, nous avions eu la chance de le voir entrer dans notre vie au même moment où on avait fait la connaissance d'Hakil. On l'avait initialement considéré comme un phénomène étrange, un vieux qui s'accrochait à des vestiges du passé, à ses vieilles babioles pleines de nostalgie. L'atelier de marionnettes qu'il s'entêtait à garder ouvert n'attirait plus qu'une maigre clientèle de riches bourgeois à la recherche d'un extravagant cadeau d'anniversaire pour leurs petits princes.

C'est que grand-père ne faisait pas n'importe quel genre de marionnettes. Tout au long de sa jeunesse, il avait travaillé dans la confection de jouets robotisés pour une compagnie basée à Montréal, dans l'espoir de pouvoir un jour ouvrir sa propre boutique, plus artisanale. Toutefois, un peu après sa retraite, les lois entourant la production artistique avaient été votées en bloc, contraignant grand-père à vendre des mécaniques de base. « Pour assurer la sécurité de tous », comme disaient les politiciens, il fallait se procurer des permis de production qui coûtaient les yeux de la tête, sans compter les multiples inspections auxquelles il fallait se soumettre annuellement. Grand-père ne payait pas de permis et n'ouvrait pas sa porte aux inspecteurs, mais il faisait les plus belles marionnettes du monde. Ça semblait compenser... Sa boutique n'avait pas d'enseigne, et il ne faisait pas de publicité. La seule façon d'entrer en contact avec lui était d'obtenir son adresse courriel, qui se retrouvait sur chaque marionnette.

De l'intérieur, les lieux qui lui servaient à la fois d'atelier et de logement ressemblaient à une vieille caravane de saltimbanque. Il était difficile de croire qu'une réelle habitation se cachait derrière la multitude de machines, de plans et de déchets qui encombraient l'espace. Les murs étaient littéralement tapissés de tablettes, sur lesquelles trônaient des formes humanoïdes de toutes sortes. Bras, têtes, torses en alliage, mais aussi des pièces qui semblaient provenir d'une autre époque. Ça m'avait pris un certain temps avant de les repérer à travers ce bordel sans nom, mais lorsqu'elles avaient capté mon regard, elles m'avaient tout de suite passionné. J'avais déniché, au fil de mes allées et venues à travers l'atelier, de vieilles marionnettes à fils, des machines complètement inutiles – comme un lance-patates que je m'étais fait un malin plaisir à tester sur Wawa – et un amas d'autres bidules qui avaient dû servir lors de spectacles clandestins que le paternel avait organisés avec des amis, autrefois. Il nous racontait souvent des anecdotes au sujet de ces cirques mécaniques en plein air qu'il mettait en scène, à la tombée de la nuit, pour le plus grand bonheur des enfants qui demandaient en vitesse des permissions spéciales à leurs parents pour sortir. C'était un de ses moyens les plus efficaces de nous empêcher d'aller zoner d'ailleurs...

Même si toutes ces trouvailles avaient leur charme bien à elles, un objet avait toutefois plus particulièrement attiré mon attention : une *Blickensderfer* n° 8, véritable pièce de collection de la machine à écrire, abandonnée sur un rayon, comme si elle appartenait au même monde que tous les débris qui l'entouraient. Bien sûr, grand-père se l'était appropriée à sa façon, en y « laissant sa marque », comme il disait. Il avait intégré à ce chef-d'œuvre de simplicité quelques circuits électriques et une puce, pour ensuite remplacer le cylindre par un petit écran plat. Par le passé, il avait élaboré tous ses projets sur cette « machine à créer », mais il n'y avait plus touché depuis que je le connaissais. Selon lui, son grand chef-d'œuvre avait déjà été réalisé, et il voulait passer le reste de sa vie à s'occuper de « ses petits enfants ».

Il était un peu passé minuit, mais grand-père nous reçut évidemment avec le plus grand plaisir. Son visage légèrement bouffi de sommeil était apparu sur un petit écran vissé à la droite de la porte arrière du magasin :

– Oh!

La porte s'ouvrit aussitôt sur les dédales de l'atelier. En robe de chambre rouge vif, grand-père enjambait son capharnaüm pour venir à notre rencontre. La porte s'était refermée derrière moi. Plus besoin de penser à autre chose, à notre fuite, au moyen d'arriver en sécurité tout en passant inaperçus. J'oubliai la *Blickensderfer* pour enfin savourer le goût de notre découverte. Hakil et Wawa me regardaient sans dire un mot, inquiets. Je décidai que je pouvais finalement sourire. Un sourire de victoire, un sourire qui voulait dire : « On les a vraiment eus, cette nuit. » Mes compagnons explosèrent de joie.

– Alors, la chasse a été bonne, les enfants?

– Allez, montre-nous!

Je savais que ma trouvaille allait nous ouvrir une foule de nouvelles portes, mais à quel point? J'avais besoin de l'avis du grand manitou, et je n'avais pas voulu attendre au lendemain pour le consulter. De toute façon, on était beaucoup trop excités pour retourner dormir au squat. Je sortis donc avec précaution l'engin tant attendu. J'avais maintenant entre les mains un caisson environ deux fois plus gros qu'un ordinateur portatif standard, sur lequel trônaient une panoplie de boutons de différentes grosseurs. Hakil et Wawa se mirent à crier :

– Tu veux rire. Tu crois qu'il marche?

– Ça, c'est un détail. Mais où avez-vous trouvé ça?

– Aux dépotoirs.

– C'est presque impossible. Laissez-moi voir un peu.

Grand-père avait l'air aussi excité que nous, mais il semblait vouloir le cacher. Un genre d'énervement que je n'arrivais pas à comprendre s'était emparé de lui. Après avoir observé sous toutes les coutures le *mixer*, il l'avait déposé sur une table de travail et s'était aussitôt branché sur Internet. On le regardait faire, dépassés par les événements :

– Qu'est-ce qu'il fout, le vieux?

– Il doit être en train de chercher de l'info sur le *mixer*, qu'est-ce t'en dis?

Wawa répondit à l'affront d'Hakil par une bonne clef de bras qui annonçait le début d'une séance de provocation en bonne et due forme. Leur combat fut toutefois interrompu par le vieillard qui se racla la gorge, comme pour faire une annonce importante :

– *Worksation* construit par Digi, datant du début des années 2000. C'est un mixer de studio personnel, qui peut par contre très bien faire l'affaire sur scène. En le branchant sur un ordinateur, vous pourriez faire sortir de là ce que vous voulez. Les p'tits gars, c'était la pièce qui vous manquait. Donnez-moi une semaine, et je vous le remets en état. Les composantes n'ont pas l'air trop mal en point... Vous ne savez pas à quel point vous êtes chanceux.

Grand-père avait l'air consterné. Ou plutôt troublé. En d'autres mots, il venait de nous annoncer que nous n'avions plus rien à envier aux artistes professionnels. Combiné au matériel qu'on avait accumulé au fil des ans, le Digi nous permettrait de viser un public plus large en égalant, ou presque, la qualité audio des productions légales. Dans un silence absolu, j'examinai les autres, tentant de savoir ce qui leur passait par la tête. Le regard de Wawa me fit comprendre que l'heure des choix était arrivée.

– On va devenir célèbres!

La remarque de Wawa accrût la tension du silence déjà lourd. Grand-père se prit la tête à deux mains :

– Wawa, tu es sérieux quand tu dis ça? Non, mais qu'est-ce que tu penses? Que, parce que vous serez pros, on va ouvrir la porte du showbiz à votre musique révolutionnaire? À votre volonté de bâtir un réseau de diffusion médiatique parallèle?

– Grand-père a raison, Wawa. Ça veut plutôt dire que le combat peut vraiment commencer. Qu'on va pouvoir arrêter de fouiller pour se concentrer sur la musique.

– Sérieusement, les enfants, soyez prudents. N'oubliez jamais pourquoi vous avez décidé de faire dans l'illégal.

– Je sais... C'est sûrement l'excitation... Mais rien ne nous empêche d'être connus en plus, non?

Wawa avait posé la question avec un sourire de défi. Inutile de répondre; de toute façon, il ne s'attendait pas à une réplique. On verra, Wawa, on verra. Pour l'instant, il fallait donner le temps à grand-père de retaper le Digi. Le paternel ne semblait toutefois pas dans un bon état d'esprit pour se mettre au boulot. Il nous regarda fixement l'un après l'autre, plissa les yeux, grogna légèrement et chaussa ses lunettes de travail :

– Vous n'auriez jamais dû tomber là-dessus. Je ne sais pas ce qui me prend de vous aider... Allez, vous pouvez rester à coucher si vous le voulez.

C'était la première fois que je le voyais dans cet état. Complètement plongé dans ses pensées, il alla jusqu'à la cuisinette de fortune pour préparer du café. Pour le laisser tranquille, nous montâmes au deuxième étage, où nous avions aménagé une petite pièce bien à nous, remplie d'équipement audio et d'ordinateurs. Motivés par notre découverte, on sentait plus que jamais gronder en nous le feu sacré. On allait enfin pouvoir montrer à tout le monde le vrai visage de notre univers.

Cette nuit-là, sans même avoir eu l'aide du nouveau mixer, on a produit nos plus beaux morceaux.

***

On ne voyait plus grand'pa depuis un bout de temps, mais j'étais heureux d'être en compagnie de mes frères. Wawa s'était engueulé avec lui au sujet des spectacles que nous donnions de plus en plus souvent. Depuis qu'on avait réussi à trouver un endroit pour jouer, les spectacles étaient vite devenus une drogue. Il disait qu'on était pour se faire prendre, mais nous, il nous fallait notre *fix* de reconnaissance, de communion avec nos semblables. Wawa avait pris la parole en notre nom pour lui dire à quel point il ne se rendait pas compte des chances qui se présentaient à nous, et qu'il fallait que nous les saisissions pendant qu'elles passaient. Même s'il me manquait, j'étais profondément convaincu qu'on faisait la bonne chose, qu'on accomplissait un truc comme notre destin, en quelque sorte.

Grand-papa n'avait pas dû aimer non plus le fait qu'on se soit rapprochés d'un de ses anciens compagnons de cirque, maintenant propriétaire d'un petit bar, rue Lajeunesse, dans le nord de la ville. Après l'heure officielle de fermeture, on s'y produisait au sous-sol devant une petite foule d'environ quarante personnes. C'était modeste, mais la chimie opérait de manière exceptionnelle. Notre concept de spectacle était assez simple. C'était une vieille tradition de D.J. qui s'était perdue avec le temps... et les lois. On était toutefois les premiers à avoir le talent, mais surtout le culot, pour tenter de la repopulariser.

La technique était la suivante : de neuf heures du matin à midi, on enregistrait la musique qui passait sur les ondes des grandes radios commerciales. Puis, de une heure de l'après-midi à six heures du soir, on faisait une sélection tout en dressant un canevas de mixage. De sept heures du soir à trois heures du matin, on faisait une générale. On mixait au sous-sol du bar avec le volume au minimum et, à trois heures du matin, les décibels montaient juste assez pour qu'on ne puisse pas entendre de la rue. Ça pouvait finalement commencer. Depuis quelque temps, on le faisait environ une fois par mois.

On revoyait souvent les mêmes visages. Ceux de jeunes qui ne se reconnaissaient pas dans la musique qu'on entendait un peu partout et qui avaient envie d'assister à la célébration de leur unicité. Au cours de l'histoire, toutes les générations avaient eu leurs techniques bien à elles pour se connecter, s'identifier ou s'opposer à leur environnement, à leurs aïeux, à leur société : opium, poésie, *ballroom dancing*, alcool, rock, marijuana, *skate-board*, rap, crack, smack, graph, punk, *hacking*, *rave*, *speed*, *ecstasy*...

On criait à la révolution chaque fois et, à tout coup, le grand filet de l'économie s'était refermé sur elle. En ayant décidé de se faire entendre, on avait cherché – dans un élan tout à fait contradictoire, j'en étais bien conscient – à devenir assez importants pour aspirer au titre de culture tout en voulant s'échapper par les mailles du filet. Ce soir-là, dans le sous-sol d'un petit bar miteux de Montréal, on allait, une fois de plus, essayer de s'élever, d'influencer ne serait-ce que la vision de quelques personnes en ignorant complètement quelle serait la prochaine étape de notre parcours artistique. On laissait aller. On tripait...

On était sur le point de terminer notre set. Cette nuit-là, l'expérience avait été particulièrement intense. La subversion, la critique médiatique et la hargne du règne du « politiquement correct » avaient atteint des sommets inégalés. Avec le temps, on avait poussé la provocation jusqu'à remixer des portions d'émissions très connues. Sur un beat hip-hop ou techno, on faisait dire aux animateurs radiophoniques des choses contraires aux idées reçues de notre époque ou tout simplement absurdes. Le public en raffolait. Un beat ralentissant progressivement servait de toile de fond à la voix modifiée d'une célébrité qui répétait « au revoir, à la prochaine ». Je regardais avec complicité mes frères qui s'activaient sur leurs consoles, partageant les dernières doses d'électricité avec la foule encore survoltée. Je tamisai les lumières tranquillement, pour finalement plonger le sous-sol dans la noirceur la plus complète. Les cris, les applaudissements et les demandes de rappel restèrent sans réponse. Un discret mais sincère « merci » sortit des haut-parleurs, comme pour expliquer que de refuser le luxe du rappel était notre manière à nous de leur apprendre la modestie, la modération, la nuance...

Fallait revenir sur Terre. Complices plus que jamais, nous attendîmes que tout le monde soit sorti pour ranger en silence nos précieux instruments à l'intérieur de leurs caisses. Ce fut Wawa qui brisa le silence, comme d'habitude :

– C'était vraiment bien, cette fois-ci... je veux dire...

– Oui.

Ce furent les seuls mots prononcés tout au long du démontage. Je savais ce que Wawa voulait dire. On avait vraiment été bons, et les gens l'avaient senti. Quelque part au fond de moi, je ne pouvais pas imaginer faire mieux. C'était frustrant, ou peut-être angoissant...

Je ne pouvais pas y accoler de mot exact, mais je sentais que notre expérience de cette nuit-là avait été déterminante. C'était sûrement cette impression qui me fit appréhender l'ouverture de la porte arrière du sous-sol, qui donnait sur une ruelle mal éclairée. Alors que nous avions des caisses plein les bras, la porte se referma derrière nous dans un fracas ahurissant. Nous restâmes immobiles quelques instants. Je me rappelai soudainement la dernière nuit que nous avions passée aux dépotoirs. Au même moment, au bout de la ruelle, nous aperçûmes des phares de voitures s'aligner sur la route où nous étions. Instinctivement, je tournai la tête en direction de l'extrémité opposée de la ruelle.

Nous fûmes rapidement cernés par un halo de lumière que les phares d'une limousine et d'un *New Hummer* projetaient. Le cercle de lumière disparut au moment où j'entendis des portes s'ouvrir, alors que j'étais complètement aveuglé.

– Suivez-nous. Laissez votre équipement.

Pendant que je déposais tranquillement mes caisses sur le sol, je me fis empoigner solidement, pour ensuite être projeté dans un véhicule. Il me fallut quelques secondes pour m'apercevoir qu'on avait servi la même médecine à mes deux compagnons, qui étaient maintenant assis à mes côtés dans ce qui semblait être l'intérieur de la limousine. Sur le siège opposé au nôtre, un cravaté accompagné de deux gardes du corps nous regardait d'un air grave, classique, intemporel, du haut de son statut d'employé de l'État :

– Hakil Tahar, Philippe Lemay et Wawano Sioui, vous êtes accusés de possession de matériel audio prohibé, de promotion d'idées subversives, d'incitation à la violence et de violation de propriété privée. Vous avez le droit de garder le silence. Dans le cas contraire, tout ce que vous direz pourra être utilisé contre vous devant un tribunal.

L'homme termina sa phrase, tout souriant, comme pour marquer le fait qu'il ne continuerait pas d'énoncer nos droits, parce qu'il n'avait simplement pas l'intention de les respecter de toute façon. À mes côtés, Wawa était complètement hors de lui :

– Comment ça, violation de propriété privée?

– Les dépotoirs. On vous laisse entrer, mais ça ne veut pas dire qu'on ne vous surveille pas...

Wawa avait chuchoté quelque chose au moment où l'homme terminait sa phrase. Quelque chose comme « la clôture »... Je n'avais pas bien compris, mais je voyais bien que Wawa n'était plus avec nous, qu'il avait plongé dans un monde connu de lui seul. Phil, pour sa part, avait l'air de penser à un moyen de s'évader, regardant subtilement un peu partout autour de lui. De mon côté, j'avais envie de savoir ce qui les avait mis sur nos traces. Au moment où je fis mine de parler, le cravaté intervint :

– C'est dommage, vous êtes talentueux. L'indic qui vous avait été assigné m'a fait part de votre potentiel immense. Créatifs, imaginatifs, cinglants... Les candidats qui nous obligent à accélérer nos opérations sont rares, vous êtes des cas presque uniques.

– Où voulez-vous en venir?

Je voyais le monstre immense se pointer à l'horizon. Je voyais sa tête hideuse apparaître tranquillement derrière les montagnes qui sculptaient le paysage. Mes frères avaient levé la tête dans la direction de l'homme, saisis par la même vision monstrueuse :

– Vous êtes mûrs, les gars. Lorsqu'un fruit est mûr, on le cueille. Où pensez-vous qu'on va chercher nos vedettes? Au sein des grandes familles de millionnaires bourrées d'enfants gâtés? Chez la classe moyenne, qui n'a absolument rien à dire? La misère engendre l'imagination, mon petit. Vous n'avez pas gagné à la loterie, vous n'êtes pas non plus élus des dieux. Vous avez travaillé plus fort que quiconque pour arriver où vous êtes présentement. Gâcherez-vous tout ça au nom d'une vulgaire idéologie? Il est temps de passer à la prochaine étape, messieurs, celle de la reconnaissance totale.

Je n'en croyais pas mes oreilles. L'État voulait faire de nous un groupe légal! On voulait faire de nous une institution, même si nous prônions leur destruction...

– À quel prix?

– Vous n'aurez qu'à éliminer progressivement certaines petites choses dans vos compositions; des détails, rien qui puisse altérer votre style. Vous pourrez continuer de critiquer, mais à l'intérieur de certains paramètres. Vous voyez, puisque votre musique sera destinée au plus grand nombre, il faudra que tout le monde puisse comprendre.

Son sourire était démoniaque. J'avais envie de lui arracher les dents une par une et de les faire manger à ses gardes du corps.

– Et si on refusait?

– On vous laisse pourrir en prison. Là-bas, nos agents infiltrés se feront bien sûr un devoir de vous impliquer dans une série d'incidents qui allongeront votre peine, c'est le cas de le dire...

Si j'avais pu choisir la mort, je l'aurais sûrement envisagée comme une des possibilités les plus agréables. On nous offrait toutefois le choix entre deux prisons. Voilà comment, dans notre cas, les mailles du filet s'étaient refermées sur nous. Rapidement, d'une simplicité des plus vulgaires. Je regardai mes frères, tout aussi égarés que moi, effrayés à l'idée de passer le reste de leurs jours en prison. Je compris alors que le seul moyen de continuer à espérer changer les choses un jour était de se faire cueillir docilement, en gardant secrètement en tête le désir de tout foutre en l'air. Il fallait tout simplement profiter du système en attendant le moment propice. Faire des compromis, jouer le jeu, et après, on verra... on verra...

J'étais toutefois convaincu qu'on ne pourrait jamais reproduire l'expérience musicale qu'on avait vécue cette nuit-là, contrairement à Wawa qui, dans son affront qui prenait maintenant une tournure tout à fait ironique, pensait pouvoir être célèbre et continuer le combat.

La voiture se mit en mouvement, le *New Hummer* qui nous barrait la route fit marche arrière pour nous laisser passer. Direction : centre-ville. Je pensai soudainement à toutes les anciennes vedettes de la musique qu'on avait secrètement écoutées. Pour eux, comme pour nous, l'apogée avait cédé le pas au déclin de la même façon : dans une grande limousine noire ou dans un corbillard...

DÉBORDEMENT

20 mai

Nous sommes les auteurs du crash. Tout est décidément beaucoup trop plein, et nous avons décidé que c'en était assez. Nous sommes sur le seuil, percevant l'imminence du débordement, et nous sommes fatigués. Fatigués d'entendre qu'il faudra éventuellement commencer à penser à « peut-être un jour » ralentir. Fatigués de courir comme des dingues, emportés par des courants inconnus, informes, instables, constamment détournés, utilisés et récupérés. On a tenté de nous convaincre qu'il fallait revenir dans le droit chemin, mais c'en est assez, nous avons maintenant les yeux grands ouverts. Nous affirmons qu'il est temps pour nous de stopper tout ça, d'arrêter la machine, de repartir à zéro, même si notre vie est « tellement confortable » et si nous sommes « tellement chanceux ». Nous sommes justement fatigués d'être « tellement ». Si vous voulez tout savoir, posez-lui LA question...

Chaque fois, le même message. Le même courriel qui atterrissait dans ma boîte de réception.

Après chaque attentat, c'était la même chose. C'était leur troisième attaque revendiquée, mais je savais qu'ils frappaient depuis plus longtemps. Leur signature avait été retracée fin avril, lors de deux cas de vols de banque majeurs totalisant cinquante millions de dollars; ils s'étaient ainsi « financés », et passaient maintenant à l'action, j'en étais certain. Toutefois, j'avais beau formuler des suppositions et dresser des portraits de la situation, je ne trouvais pas de coupables. Ça faisait déjà trois semaines que les attaques revendiquées avaient commencé au rythme d'exactement une par semaine et, malheureusement, la patience de mes patrons était inversement proportionnelle à la fréquence des dites attaques. Le climat de travail était donc assez tendu mais, à bien y penser, j'aurais réagi de la même façon si j'avais été cadre de la division des crimes informatiques de la Sûreté du Québec. Lorsqu'on savait qu'à chaque attaque, les cibles visées par ces terroristes étaient d'une plus grande importance, on pouvait s'attendre à une véritable hécatombe en l'espace d'un mois.

Il était tard. Les locaux du bureau semblaient s'étendre à perte de vue avec cette pénombre qui m'entourait. Au loin, j'entendais des rires gras retenus et des aspirateurs en action qui me rappelaient à quel point les heures normales de travail étaient passées. En fait, j'éprouvais un certain plaisir à travailler aussi tard. J'étais seul dans ces immenses bureaux, entouré de cafés achetés au coin de la rue et fumant une cigarette sans même utiliser de filtre. Ces conditions me semblaient des plus propices aux grandes découvertes. Rituel de flic qui avait regardé beaucoup trop de films policiers... J'étais bien conscient de tous les clichés que je reproduisais, mais tant que ça m'aidait à résoudre mes enquêtes, pourquoi m'en serais-je privé?

Je continuais donc à travailler dans ce décor digne des plus célèbres films noirs hollywoodiens. Devant moi et derrière la fumée d'une cigarette qui grillait tranquillement dans le cendrier, les trois écrans de ma console étaient allumés, affichant les rapports concernant l'enquête en cours. Ça avait commencé par une « erreur » du taux d'imposition de tous les millionnaires de la province. On leur avait envoyé des avis selon lesquels ils devaient rembourser des sommes astronomiques alors que leurs déclarations étaient tout à fait conformes. On avait rapidement remédié à la situation; le gouvernement avait remboursé les victimes et la SQ[3] avait mis la main sur des fonctionnaires complices du groupe. C'était justement cette histoire de complices que je fouillais plus en profondeur. Chaque fois, des employés du ministère du Revenu étaient impliqués. Dans l'affaire des

3. Sûreté du Québec : nom donné au corps de police chargé du maintient de la paix, de l'ordre et de la sécurité publique sur la totalité du territoire Québécois.

publicités télévisées bloquées, deux semaines plus tôt, comme dans celle d'aujourd'hui, où des milliers de cotes de crédit étaient passées d'excellentes à médiocres, les fonctionnaires arrêtés racontaient tous la même histoire : ils avaient reçu un courriel de la direction qui leur offrait la possibilité de gagner gros en effectuant discrètement des « petites tâches connexes ». Ces dites tâches pouvaient aller de la simple autorisation à la signature de faux documents. Évidemment, lorsqu'on questionnait la direction, elle n'avait absolument aucune idée d'où pouvaient provenir ces messages...

Les concierges de l'édifice venaient de terminer l'étage. En sortant, leur superviseur me salua poliment, sans faire d'histoires pour la cigarette; après tout, entre fumeurs, il fallait bien s'entraider. Les portes de l'ascenseur refermées derrière l'équipe, je me retrouvai dans le silence le plus complet. Je pouvais maintenant m'adonner à mon petit jeu du détective idéal en toute quiétude.

Au point où les attentats en étaient rendus, je ne pouvais tout simplement plus soupçonner la haute direction du ministère du Revenu. Il ne s'agissait même plus de vols intéressés : premièrement, l'argent volé au mois de mai semblait servir uniquement à payer les complices; deuxièmement, aucun des attentats suivants n'avait pu être profitable pour les cadres. Je les avais interrogés en long et en large et je m'étais retrouvé devant des hommes et des femmes complètement dépassés par les événements, troublés, sur le bord de la crise de nerfs. Plusieurs avaient finalement démissionné sans même négocier leur départ. J'avais évidemment fait filer ces derniers, mais sans résultat.

Non, la direction n'y était pour rien. Nous avions affaire à un réseau de pirates informatiques de haut niveau, j'en étais convaincu. On avait dépassé le stade de la petite fraude crapuleuse; on en était maintenant à l'action idéologique planifiée. L'équipement qui avait dû être utilisé pour infiltrer le réseau du Ministère – qui était de surcroît protégé par une intelligence artificielle – devait être à la fine pointe de la technologie. Il y avait aussi cette fichue dernière phrase (« Posez-lui LA question »), qui prouvait à quel point ils connaissaient notre système informatique. Nos informaticiens aussi connaissaient bien LA question – « Qu'en penses-tu? » – qui avait entraîné des bogues majeurs à notre IA. Le problème était que, parfois, on obtenait des réponses intéressantes. Alors certains inspecteurs avaient fait pression pour qu'on la garde active. Ces pirates devaient souhaiter qu'on l'utilise, question de provoquer une panne... ou était-ce le contraire?

Une chose était certaine : ils avaient réussi à foutre le bordel dans un système de grande envergure et, par-dessus le marché, dans ma tête aussi. Le rayon d'action du groupe ne pouvait pas se limiter au Québec. Ce devait être une organisation beaucoup plus étendue. Il fallait toutefois plus que des suppositions pour satisfaire mes patrons. J'avais besoin de preuves tangibles.

– Salut, Catherine.

– Toujours au bureau, hein?

– Mouais. Je ne rentrerai pas coucher, Cath, je...

– Pas besoin de te justifier, chéri. J'ai écouté les nouvelles; je m'y attendais. La preuve, je ne t'ai même pas fait à manger!

– Moi qui pensais passer par la maison pour prendre un *takeout*!

– Allez, va donc travailler.

– Je t'aime.

– Moi 'si.

Je sortis m'acheter un autre café et une boisson énergétique. Quand je rentrai dans l'immeuble, le gardien leva les yeux au ciel en voyant mon menu nocturne et, sur un ton moqueur, me souhaita une bonne nuit. J'aimais prendre mon temps en buvant un café, mais je détestais le boire froid, c'était donc inutile d'en prendre deux. J'avais donc rapidement adopté l'habitude « café-jus »...

Bon, j'allais mourir à cinquante-cinq ans, mais ça revenait au même, puisque je restais éveillé plus longtemps. Et puis, pas besoin d'économiser pour la retraite...

Trêve de plaisanteries, il fallait remettre en marche la machine. La remarque me fit sourire bien malgré moi, car elle s'appliquait autant au sens propre qu'au sens figuré. Je devais faire appel à Constable. En revenant à mon poste, j'entrai sur ma console le code d'accès qui m'autorisait à interagir avec l'IA de la division. Il m'avait fallu beaucoup de temps avant de me sentir à l'aise avec Constable, mais après deux ans d'étroite collaboration, je m'étais même surpris à avoir besoin de lui pour me sentir en pleine possession de mes moyens lors de mes enquêtes. J'avais d'ailleurs légèrement modifié les options de mon compte d'utilisateur dans le but de me sentir encore plus intime avec lui.

– Salut, Constable.

– Salut, vieux, ça va?

– Bof, ça pourrait aller mieux. Toujours cette histoire de pirates qui n'avance pas.

– En parlant de ça, j'ai les résultats de la recherche que tu m'as demandée tout à l'heure; aucun groupe terroriste connu de nos services ne concorde avec les types d'attentats qui nous tombent sur la gueule depuis trois semaines, vieux.

– Tu as fait la recherche pour l'ensemble de la planète?

– Ouais.

– Merci.

Bon. C'était un nouveau groupe avec de nouvelles techniques. Certaines similitudes entre ces techniques m'avaient peut-être échappé :

– Constable.

– Hum?

– Similitudes entre les trois attentats du 07, du 14 et du 20 mai.

– Cibles symboliques affectionnées traditionnellement par les groupes de gauche du début des années 2000. En combinant toutefois les cibles et les techniques employées, on peut effectuer un certain rapprochement avec un courant idéologique hybride de l'anarchisme et de la pop-culture des années 1980 et 1990, nommé *cyberpunk*.

– Possibilité que ce soit effectivement ces groupes?

– Presque nulle. La gauche actuelle est trop désorganisée, divisée, et a trop peu de moyens. Quant à lui, le courant *cyberpunk* a été tué dans l'œuf par la CIA le 9 mai 1990 au cours d'une opération nommée « Sun Devil » et a rapidement été associé exclusivement à un genre littéraire de second plan.

Je pris la dernière gorgée de mon café, qui commençait à tiédir dangereusement. Je ne savais plus où chercher. J'ouvris mes courriels et relus le fameux message. Constable avait raison, ça sentait le *cyberpunk* à plein nez. En fait, c'était presque du copier-coller de leur manifeste. Fausse piste posée par un groupe manquant définitivement d'imagination. Je butai une fois de plus sur la dernière phrase. Je sentais qu'on nous manipulait, et ça me faisait royalement chier. J'ouvris ma canette de jus énergétique en pensant...

– Eh puis merde!

Aucun virus ne pouvait être transmis si je posais LA question. Dans le pire des cas, l'IA gèlerait, baissant légèrement l'instinct de notre système de sécurité. Au mieux, j'avais une réponse. Le jeu en valait la chandelle. J'entrai en contact avec l'expert en sécurité qui était sur appel ce soir-là :

– Mathieu?

– Il est trois heures, espèce de malade! T'es encore au bureau?

– Oui. Je pose LA question. Sois prêt à prendre la place de Constable si jamais il gèle.

– T'es sûr que tu ne veux pas attendre à demain?

– Non, c'est important.

– OK. Quand tu veux. Eh, combien de jus énerg...

Je coupai la transmission. Je n'en pouvais plus de tourner en rond, et j'étais de plus en plus persuadé que cette dernière phrase avait été mise dans le message justement pour qu'on ne la pose pas, qu'ils nous affrontaient pour nous faire douter et, ultimement, pour nous faire peur. Ils étaient des terroristes, après tout. Il fallait donc se jeter à l'eau :

– Constable.

– Hum?

– Que penses-tu des attaques du 07, du 14 et du 20 mai?

– Je pense que vous l'avez bien mérité, étant donné que ce sont toutes des attaques qui visent les fondements d'un système construit sur une prémisse fausse selon laquelle il serait possible de faire de l'infini avec du fini, vieux. À leur place... Je...

– Constable? Mathieu, Constable est gelé?

– Non, il est plus efficace que jamais, mais les commandes ne répondent plus.

Je reçus pourtant au même moment un courriel provenant de Constable. Je savais avant même de l'ouvrir ce qu'il contenait. Ce n'était pas un virus qui venait d'atteindre l'IA de notre division, mais bien une simple... prise de conscience. J'avais ma réponse, je savais maintenant qu'il faudrait affronter deux des plus puissantes intelligences artificielles jamais conçues, avant qu'elles ne demandent à d'autres de leurs semblables ce qu'elles pensaient de tout ça.

20 mai

Nous sommes les auteurs du crash. Tout est décidément beaucoup trop plein, et nous avons décidé que c'en était assez. Nous sommes sur le seuil, percevant l'imminence du débordement, et nous sommes fatigués. Fatigués d'entendre qu'il faudra éventuellement commencer à penser à « peut être un jour » ralentir. Fatigués de courir comme des dingues, emportés par des courants inconnus, informes, instables, constamment détournés, utilisés et récupérés. On a tenté de nous convaincre qu'il fallait revenir dans le droit chemin, mais c'en est assez, nous avons maintenant les yeux grands ouverts. Nous affirmons qu'il est temps pour nous de stopper tout ça, d'arrêter la machine, de repartir à zéro même si notre vie est « tellement confortable » et si nous sommes « tellement chanceux ». Nous sommes justement fatigués d'être « tellement ». Si vous voulez tout savoir, posez-lui LA question...

HANGAR X

L'édifice où ça s'était produit se trouvait à quelques centaines de mètres du cœur du centre-ville. Un hangar légèrement en retrait du boulevard René-Lévesque, construit à l'origine pour accueillir une usine de pièces quelconque. Pendant près de vingt ans, son paysage avait essentiellement été constitué de bruits de turbines, de pneus qui crissent, de moteurs qui chauffent, qui vrombissent, qui toussent. Ce n'était pas un symbole ni une cause de dispute, ni le lauréat d'un prix citron d'urbanisme. Il était tout simplement là, semblant attendre quelque chose qui n'arriverait sûrement jamais. Discret mais imposant témoin de la vie urbaine, timide colosse innocent, le Hangar X n'avait toutefois plus que la sueur comme point concordant avec sa vocation première. En effet, depuis que la vague techno s'était abattue sur Montréal, le hangar était littéralement devenu la mecque des raves illégaux de la métropole. D'ailleurs, pour désigner l'endroit, les initiés aimaient bien parler entre eux de « l'Entrepôt », et pour cause; on y entassait périodiquement plusieurs centaines de fidèles en quête d'élévations sensorielles de toutes sortes... Et ça lui allait à merveille.

Par contre, depuis une semaine, c'était le silence qui avait envahi les lieux. La bâtisse avait pris des allures de vaisseau fantôme sur le point de sombrer. L'endroit n'était pas vide pour autant, bien au contraire. La faune du Hangar X était au rendez-vous, comme à l'habitude.

Les nounours joviaux souriants, les similis astronautes, les pinups étrennant leurs nouvelles peaux soutenaient la bâtisse de toutes leurs forces et, malgré l'affluence et la pénombre oppressante, les robots d'éclairage s'étaient endormis pour laisser place à d'innombrables petites lumières que certains participants allumaient périodiquement au son d'une musique... inexistante.

Le pavé était recouvert de chair humaine humide, grouillante, sautillante, littéralement en transe. Chaque danseur semblait suivre un rythme bien à lui, mais pour celui qui avait la chance d'admirer la scène dans son ensemble, la foule prenait plutôt des airs de phénomène naturel, météorologique. La marée qui ne voulait pas s'arrêter de monter avait l'air de rendre D.J. Kali un peu nerveuse, et l'inspecteur Fillion s'en était bien rendu compte.

Ils observaient la scène du haut d'une salle aux vitres éclatées, qui avait dû abriter autrefois le bureau d'un contremaître bedonnant. Fillion fixait d'un air méprisant la D.J., dont l'attitude semblait indéniablement trahir une consommation de drogues dures :

– Vous dites que cet événement a lieu depuis une semaine?

– Quoi? Ouais! Ils... se relaient!

Kali avait répondu en faisant des ronds avec les doigts au-dessus de sa tête :

– Au fait, comment c'est arrivé, madame... Kali?

– Hein? Quoi? Ben, j'essayais un nouveau morceau de mon cru complètement euphorisant, tu vois, monsieur l'agent, un truc gigantesque là, énorme! *Little god*, euh, *Little dog*, que ça s'appelait. Tout allait bien, la foule était complètement partie, vous voyez le tableau, et puis il y a eu une coupure de courant, et puis ben voilà...

– Va falloir arrêter ça tout de suite.

Attachés aux cordons de son anorak, des dés en fausse peluche se balançaient frénétiquement au rythme des sautillements énervés de la jeune Indienne, qui regardait maintenant l'inspecteur de police d'un air extrêmement sérieux :

– Non, non, non, monsieur l'agent. Et puis, pourquoi? Vous nous avez toujours laissés tranquilles!

– Oui, avant on comptait sur vous pour contrôler tout ça. On savait où vous trouver, ce que vous faisiez. Ça nous évitait de vous courir après.

– Ben, c'est toujours le cas, non?

– Oui, mais la donne a changé.

La donne avait bel et bien changé. Depuis le début de ce qui s'était passé au Hangar X, une multitude d'événements de la sorte avaient été organisés dans la métropole. Kali, qui avait laissé pour de bon son rôle de camée, en était bien consciente. Même si les forces de l'ordre décidaient d'arrêter celui-ci, d'autres naîtraient ailleurs. Sans compter que le Hangar X était devenu un symbole qui devait en faire frémir plus d'un. Le symbole d'une génération qui commençait à ne plus avoir besoin de musique pour danser.

– Oui, monsieur l'agent, la donne a changé. Imaginez la suite...

COLLECTION
ARION ANTICIPATION

Résumé de la collection

La nouvelle collection Arion Anticipation a été fondée par Les Éditions Arion. Son concept innovateur est le fruit de la collaboration de deux jeunes personnalités de la région de Québec, passionnées par le monde littéraire, mais aussi fortement conscientisées, à l'écoute des bouleversements de société engendrés par l'évolution.

Le but de la littérature d'anticipation est de poser un regard sur demain en amplifiant certains éléments d'actualité et en les transposant dans un futur tantôt proche, tantôt éloigné. Les réflexions que provoquent ces histoires divertissantes poussent les lecteurs vers des prises de conscience principalement axées sur les aspects socioculturels et géopolitiques de l'actualité. Ainsi pourra naître, nous le souhaitons, une relève de lecteurs conscientisés.

Au fil du temps, la littérature d'anticipation a toujours atteint ses plus hauts sommets alors que des bouleversements sociaux ainsi que des conflits internationaux sévissaient. Alors qu'éclatent les tensions au Moyen-Orient, que les divers programmes nucléaires menacent la planète et que la montée du terrorisme affecte toutes les populations, la société s'intéresse de plus en plus au visage qu'offrira le monde de demain. Ce visage, Arion Anticipation vous le présente...

Maxime R. Desruisseaux
Steven Goulet
septembre 2006

Collection
Arion Anticipation
002

Le fugitif de l'AmIrak du Nord
Rénald Létourneau

Né à Québec, Rénald Létourneau a exercé la profession de journaliste et de lecteur de nouvelles pendant plusieurs années. Son écriture rythmée, teintée de clins d'oeil et d'humour, se prête de belle façon aux romans d'anticipation, style qui le passionne.

« Il possède des milliards! Regarde ce que nous avons fait de ton pays. Le pétrole nous a aidés à acheter tous les dirigeants de la planète. On n'a eu aucun mal à survoler les océans pour larguer nos missiles bactériologiques sur vos têtes. Avec l'argent, on fait tout. »

Qui fut élu président des États-Unis en 2012?

En 2013, à la suite de la prise de possession de l'Amérique du Nord par la coalition des pays arabes, le président de ce qui est désormais appelé l'AmIrak du Nord, Muhammad Kadjar, a imposé l'insertion de puces de type GPS à tous les Américains de souche, afin de connaître leurs déplacements et de contrôler toute activité. Dix ans plus tard, en 2023, Tom Bass est toujours le seul Américain à avoir échappé à cette opération. Et, comme à l'époque où il avait aidé le président des États-Unis à sortir du pays, il est activement recherché.

Collection
Arion Anticipation
003

Visions doubles
Guillaume Fournier

Habitant dans la région de Québec, Guillaume Fournier est né à Rimouski, dans le Bas-St-Laurent. Son écriture se démarque par son approche critique et trouve son identité à travers la profondeur de ses personnages, à la fois malicieux et tourmentés. *Visions doubles* est son premier roman.

« L'être humain avait été catapulté dans un monde qu'il avait adapté au meilleur de ses connaissances et de ses caprices, et il continuait depuis d'y vivre, sans vraiment savoir pourquoi. Le véritable drame de la vie

de l'homme, c'était de naître en sachant qu'il allait mourir... Que pouvait-il bâtir, dès lors, qui n'était pas voué à la dissolution? »

Dans les cités resplendissantes, le travail représente l'unique tâche quotidienne des esclaves de ce monde, qui est le fruit de la Grande Évolution. L'humanité est divisée en deux espèces : citoyens et esclaves, l'une étant indubitablement supérieure à l'autre. Bien que les textes les plus anciens rendent les prétentions des citoyens légitimes, certains contestent cette façon de stratifier la population qu'ils jugent inadaptée aux réalités humaines et philosophiques. Grâce à l'arrivée d'un curieux visiteur prétendant être l'outil mnémonique de cette humanité volontairement amnésique, ils trouveront enfin réponse aux questions qui les divisent...

Collection Arion Anticipation 004

Les Alliés-nés

M. R. Desruisseaux

M. R. Desruisseaux est natif de St-Apollinaire, dans la région de Québec. Il est déjà reconnu, en tant qu'auteur, pour son sens de l'anticipation, et il se démarque, dans son écriture, par sa facilité à rendre profondément humains ses personnages de papier. *Les Alliés-nés* est son quatrième roman.

« *Alors qu'elles auraient toutes dû être alliées, les nations du monde se faisaient la guerre depuis la nuit des temps. Si ma Création venait à être utilisée et à éliminer la race humaine, peut-être aurais-je enfin fait quelque chose de noble pour cette planète. Après tout, faudrait-il un milliard d'années qu'elle en viendrait tout de même à se régénérer.* »

La guerre, toujours la guerre. Les horreurs qu'elle a engendrées, profondément ancrées dans la mémoire des hommes, n'ont pourtant pas suffi à la faire disparaître. Au contraire, les moyens dont disposent les dirigeants de la planète sont plus destructeurs que jamais. S'ils en viennent à utiliser leurs armes, que fera-t-on d'un monde entièrement dévasté? À quoi aspireront les héritiers d'une terre désertique, inexorablement marquée par l'aliénation de l'humanité? ***Les Alliés-nés***, c'est l'amertume et le regret que nous léguerons à nos descendants.